El Templo
En El Jardin

SACERDOTES Y REYES

DINAH DYE
FOREWORD BY BODIE THOENE

El Templo Revelado en el Jardín: Reyes y Sacerdotes

Por Dinah Dye

Foundations in Torah Publishing

A menos que se indique lo contrario, las citas de las Escrituras están tomadas de la Sociedad Bíblica Judía Mesiánica de la Versión del Árbol de la Vida (TLV). Copyright © 2015.

ISBN 978-0-9972410-4-4

Visite el sitio web del autor en www.FoundationsInTorah.com

שלום בן הירשאל

Saul Brottman

1 9 2 3 – 2 0 1 6

¡Que su memoria sea para bendición!

Veterano de la Segunda Guerra Mundial
Esposo de Harriette por 65 años
Padre de Diane y Janice
Abuelo de Hannah, Sarah y Kyle
Bisabuelo de Ya'el, Gavriella, Remy y Hezekiah
Y toda la preciosa semilla que seguirá

CONTENIDO

PREFACIO

A menudo decimos que "todo significa algo". A través del estudio profundo de las raíces hebreas de la Torá, encontramos que no hay un pequeño detalle en el texto antiguo que no sea significativo. En Mateo 5:17,18, *Yeshúa* confirma esto cuando declara, "No pienses que vine a destruir la Ley o los Profetas. No he venido para abrogar, sino para cumplir. Porque de cierto os digo que hasta que pasen el cielo y la tierra, ni una jota ni una tilde pasará de la ley hasta que todo se haya cumplido".

También es cierto que "no sabemos lo que no sabemos". Leer la verdad en las Escrituras puede hacernos sentir como un hombre que ha vivido en el desierto durante toda su vida. Él sube a la cima de una montaña y ve el océano por primera vez. La luz del sol se refleja en el superficie, y él no puede decir si está mirando el agua o una hoja de plata sólida. Si es agua, ¿tiene dos pulgadas de profundidad? ¿O es de profundidad ilimitada, llena de maravillas más allá de su imaginación? ¿Cómo podemos conocer la profundidad del significado y la verdad de las Escrituras a menos que estemos a su lado, lo toquemos y encontremos el valor para sumergirnos en él?

La erudición bíblica profundamente ungida de la Dra. Dinah Dye nos lleva en un viaje espiritual de descubrimiento final. Mientras leía el texto, fue como zambullirse en las aguas claras y profundas del mar y poder respirar. ¡Oh, las maravillas en estos pasajes! Empecé a entender cuánta gloria hay que revelar debajo de la superficie.

Cuando *Yeshúa* nos habló y dijo que ni siquiera la letra hebrea más pequeña pasaría, ¡Él nos estaba dejando saber que en las profundidades del estudio de la Torá hay vida, belleza y color y se revela la gloria del Paraíso! La Torá también es como un gran árbol con ramas, como piedras en una escalera. Podemos subir y escalarlas hasta que finalmente ingresemos. La verdad está en las Escrituras para nosotros — la importancia de todas las cosas, grandes y pequeñas.

Este libro increíble nos ayuda a mostrarnos las maravillas del gran amor y plan de Dios para nosotros desde el comienzo de la creación. Si quieres vislumbrar grandes y santas maravillas, te recomiendo este hermoso libro. Es para ti que quieres explorar la belleza desconocida bajo la superficie de las aguas profundas de la Torá. Es para ti que anhelas escalar las ramas del árbol que llega desde la tierra, en lo alto de las glorias del cielo.

¡Disfruta el viaje!
¡*Shalom* y bendiciones!
Bodie Thoene
www.Thoenebooks.com

EXPRESIONES DE GRATITUD

Sarah Hawkes Valente: jefa de editores
David Farley: formateador/diseñador
Robin Hanley: diseñador de la cubierta
Tyler Dawn Rosenquist: editora de contenido
Margo Doll: correctora de pruebas
Hannah Romero: correctora de pruebas
Lisa Velázquez: traductora

La tierra es de *Adonaí* con todo lo que hay en ella
El mundo y aquellos que moran en él.
Porque Él establece sus fundamentos en los mares,
Y lo estableció sobre los ríos.
¿Quién subirá al monte de *Adonaí*?
¿Quién puede estar en su Lugar Santo?
Uno con las manos limpias y un corazón puro,
Que no levantó su alma en vano
Ni ha jurado engañosamente a su prójimo
Él recibirá una bendición de *Adonaí*,
La justicia de Dios es su salvación.

(SALMO 24:1-5)

PRÓLOGO

Adonaí ha establecido Su trono en los cielos,
Y Su reino gobierna sobre todo.

(Salmo 103:19)

En el principio, *Elohim* construyó un Templo llamado los Cielos y la Tierra. A través de la Sabiduría, el Conocimiento y el Entendimiento, el maestro artesano formó su Casa cósmica del rocío del séptimo cielo, y Él sopló el aliento de vida en Su creación. El *Ruach* (Espíritu) de Di-s flotaba sobre la superficie de las aguas como una madre pájaro construyendo su nido.

Elohim cortó un pacto, y Su Palabra ligó al Cielo y la Tierra en matrimonio. La Unidad fue sellada para siempre en el lugar donde ardientes lenguas de fuego irradian del Trono de la Gloria — el Santo Oráculo de Di-s. Una señal en los cielos confirmó Su juramento eterno: agua y fuego fundidos dieron forma a un arco de color que conecta el Cielo a la Tierra.

Elohim colocó inmensas vigas sobre las aguas superiores, y extendió Su cámara desde un extremo del Cielo al otro. En el interior de los pliegues de Su vestido, las bóvedas se llenaron con las aguas frescas del Cielo. Él alfombró su tienda con espesa oscuridad y colgó un velo cristalino en su entrada. Querubines sujetando espadas llameantes estaban de pie como centinelas en la apertura del firmamento: una cubierta en forma de cúpula cubría la tierra. El trono carruaje de

Elohim descansaba en adoquines de zafiro multicolor donde un río de fuego brotaba de debajo del estrado terrenal de Sus pies. El Rey estaba vestido con luz deslumbrante; vestido de esplendor y majestuosidad.

Elevándose sobre el horizonte, *Elohim* cabalgó Su glorioso carruaje en las alas de una tormenta. Él dividió su cámara inferior en siete *Yamim* (días o etapas) para reflejar la parte superior. *Elohim* separó los elementos femeninos de los masculinos: la Tierra del Cielo, la luz de la oscuridad, las aguas abajo de las aguas de arriba, tierra del mar, la noche del día. Cuando los mares se juntaron y apareció tierra seca, Él juntó el trono de la Tierra a una enorme roca obsidiana. Encima de la piedra de fundamento, Él estableció una caja rectangular de oro puro llena de Su simiente, luego colocó una tapa de oro sobre ella.

Elohim creó Su Casa inferior en tres atrios y llenó cada uno con Sus posesiones: el Cielo, el Santuario Interior, contenía todos los cuerpos celestes. La Tierra, el Atrio Interior, estaba lleno de plantas productoras de semillas, árboles y hierbas. Los mares formaron el Atrio Exterior para los peces y los grandes monstruos marinos que poblaron las profundidades. Su Casa inferior se convirtió en el límite que impedía que las aguas del caos cruzaran.

En el séptimo día, *Elohim* inauguró su Templo completado para el servicio. La creación descansó; Su casa real fue llena del fuego de Su gloria. Acompañados por cien ráfagas del cuerno de carnero, las huestes del Cielo le rindieron homenaje al Creador del universo con gritos de alegría y aclamación. Los coros celestiales adoraron, cantando, "Toda Alabanza y Honor, Gloria y Majestad, Bendición y Triunfo, Dominio y Poder sean para el Soberano Rey." El trono de *Elohim* estaba firmemente establecido en los cielos; Su Reino reinaba sobre todo.

En el clímax de Su creación, *Elohim* instaló al ser humano, Adán, como rey y sumo sacerdote para gobernar el jardín en Edén, ubicado en el centro del cosmos. Adán brotó del polvo de la tierra para convertirse en un poderoso árbol. Su sombra cubriría las montañas de la tierra. Como rey, tenía que mantener el orden y estabilidad —servir como mediador entre el cielo y la Tierra. Como portador de la imagen divina de Di-s, Adán fue llamado a difundir la semilla de Di-s y expandir el jardín a las cuatro esquinas de la Tierra. Él debía de gobernar el mundo en rectitud, justicia, paz y preservar el orden creado a través de actos de adoración para que el caos no destruyese el *Shalem* (paz).

Edén era la perfección de *Elohim* donde Él habitó "en medio" de Su creación. Fue el Templo donde se sembró Su semilla para producir una cosecha a Su imagen y semejanza. ¡Su semilla era Su posesión más preciada!

CAPÍTULO UNO

EDÉN

Porque Adonaí consolará a Tziyón,
Él consolará todos sus lugares baldíos,
Él hará su desierto como el Edén, su desierto
como el jardín de Adonaí. Júbilo y regocijo
se encontrarán en ella, acción de
gracias y sonido de melodía.
(Isaías 51:3)

De La Arquitectura a La Agricultura

El relato de la creación del salmista describe la construcción de un templo cósmico usando términos arquitectónicos: la colocación de vigas, que se extienden hacia fuera de la tienda, el erigir las cortinas, el hundimiento de los pilares en la tierra, el establecimiento de la piedra angular (Salmo 104).

John Lundquist describe el templo como la "encarnación arquitectónica de la montaña cósmica" (1984: 57). Los eruditos se refieren a la montaña como el *axis mundi* o punto de conexión entre el Cielo y la Tierra. Era la fuente del orden cósmico y la barrera contra el caos. El Monte de *Tziyón* fue visto como la entrada al mundo celestial.

Además, en el AMO (Antiguo Medio Oriente), la Sabiduría era la expresión arquitectónica clave para la construcción de templos. Este atributo, era otorgado al rey por su deidad, dándole la autoridad para gobernar correctamente.

Al emplear terminología de construcción en la historia de la creación, el autor sacerdotal no hizo nada nuevo, pero ha unido a otros escritores bíblicos que describen el mundo como un edificio, la Creación como un acto de construcción, y al Creador como un sabio, experto y perspicaz arquitecto.

(HUROWITZ 1992: 242)

Por medio de la Sabiduría una casa es construida, mediante el entendimiento es que está segura, y por el conocimiento sus habitaciones están llenas de todo tipo de posesiones costosas, preciosas, y agradables.

(PROVERBIOS 24:3,4)

Di-s dio sabiduría y discernimiento en gran medida y un soplo de entendimiento tan vasto como la orilla del mar. La sabiduría de Salomón superó la sabiduría de todos los hijos del este y toda la sabiduría de Egipto.

(1 REYES 5:9,10)

La obra de la creación fue descrita como "muy buena", lo que significaba que era completamente funcional. En

Génesis (capítulos 2 y 3), el lenguaje cambia de arquitectónico a agrícola, es decir, el mantenimiento y la conservación de la creación. Este cambio de enfoque requería un tipo diferente de trabajo — ahora la responsabilidad del ser humano, Adán, que fue colocado en el jardín. Adán (la humanidad) debía servir como un sacerdote real: un reino de sacerdotes. NT Wright describe ésta labor como el de un hombre de "vocación de convenio." Él sugiere que "la tarea principal de la vocación es ser 'el portador de la imagen', reflejando la mayordomía sabia del Creador en el mundo y reflejando las alabanzas de toda la creación a su creador" (Wright 2016: 76).

Las Odas de Salomón (38:17-21) describen al Santo como alguien que está establecido sobre cimientos que fueron puestos, y, como cultivo, regados por Di-s. GK Beale explica, "Estas tradiciones se basan en el hecho de que en el Antiguo Testamento, el Jardín en Edén, la tierra prometida como el jardín de Israel, y la futura restauración de Israel en una tierra como el jardín o bien fue equipada o asociada con un templo" (2004: 246). El apóstol Pablo sugirió algo similar cuando comparó la congregación de Corintio con un campo — una expresión idiomática que está relacionado con el Templo.

> Porque somos colaboradores de Di-s; ustedes son el campo de Di-s, el edificio de Di-s. Conforme a la gracia de Di-s que me fue dada, como un hábil maestro de obras, puse el fundamento, y otro edifica encima. Pero cada uno debe considerar cuidadosamente cómo sobreedifica. Porque nadie puede establecer otro fundamento que el que ya está establecido, que es Yeshúa el Mesías.
>
> (1 CORINTIOS 3:9-11)

Los servicios y ceremonias del Templo realizadas por los sacerdotes eran sinónimo a Adán cultivando un jardín: arar, sembrar, segar, fertilizar, podar, y cosechar. La producción de vida vegetal estaba ligada a la *eretz* (tierra seca) que permitía la continuidad del proceso de creación. "Una sociedad agraria dependía de los ciclos de la naturaleza, y las imágenes agrícolas eran una metáfora frecuentemente utilizada para describir la naturaleza de Di-s y Su poder divino para producir abundancia" (Meyers 2003:135-137). En el Templo de Jerusalén, comer era la forma más elevada de adoración; en el jardín, la producción de alimentos fue la forma en que la comunidad sobrevivió. "Esta relación entre los seres humanos y la tierra y su destino de practicar la agricultura se torna importante en la épica historia del pueblo escogido de *Yahweh*" (George and George 2014:135).

En el AMO, los sacerdotes trabajaban en los campos para proporcionar alimentos a la deidad. El rey, por otro lado, mantenía el orden y la estabilidad a través del cultivo y la construcción compleja de jardines masivos para crear un ambiente estéticamente bello para el puro disfrute. En Mesopotamia, la horticultura era la vocación de los reyes, y por lo tanto estos gobernantes eran descritos como "jardineros". Los jardines reales del soberano representaban su reino y eran en muchos aspectos similares a las famosas haciendas inglesas con sus piscinas, canales de agua y caminos serpenteantes a través de arbustos altos y árboles de sombra. El jardín real era un templo cósmico en miniatura.

> Cada rey tenía su jardín, y el Rey de Jerusalén no era una excepción. En la orilla oeste del Valle de Cedrón, al este de la ciudad fortificada, estaba el "jardín del rey", regado por el Manantial Guijón. El jardín real de Jerusalén, la ciudad de Di- s, era en cierto sentido un replica de, o quizás la base de, el jardín primordial del Edén en Génesis.
>
> (BROWN 2010: 91)

Después de conquistar territorios, un rey suzerano se marchaba con los arbustos reales del rey derrotado para replantarlos en sus jardines. "Los anales asirios indicaban que los reyes estaban tan orgullosos de su experiencia hortícola como de su destreza en el campo de batalla. A menudo trasplantaban las especies botánicas exóticas de territorios conquistados, alardeando de que prosperaron mejor bajo su pulgar verde que en sus hábitats naturales" (Brown). El reino era su jardín, y su tarea ordenada era cultivarlo.

El Primer Templo, construido por el Rey Salomón, presentó muchos elementos de jardín (1 Reyes 6). Él poseía conocimiento de botánica y hablaba profundamente de "árboles, desde el cedro en el Líbano hasta el hisopo que crecía en la pared, y sobre bestias, pájaros, reptiles y peces" (4:33). El rey Salomón hizo paneles en las paredes laterales del Templo y talló brotes ornamentales de madera de cedro, flores abiertas, querubines y palmeras en cada panel. Los pisos estaban cubiertos con tablones de ciprés. Las puertas de madera de olivo al santuario interior también fueron adornadas con querubines, palmeras y flores, todo recubierto de oro fino. Salomón dedicó tiempo y energía a la construcción de los impresionantes jardines reales.

Engrandecí mis obras, edifiqué para mí casas, planté para mí viñas; me hice huertos y jardines, y planté en ellos árboles de todo fruto. Me hice estanques de aguas, para regar de ellos el bosque donde crecían los árboles.

(ECCLESIASTES 2:4-6)

Los textos antiguos describen jardines suntuosos construidos por Sumerios, Asirios y Babilonios en las llanuras aluviales del sur de Mesopotamia. No se ha encontrado evidencia arqueológica de la existencia de los Jardines Colgantes del Rey Nabucodonosor de Babilonia — a pesar de que fue considerada una de las siete maravillas del mundo antiguo. (La erudita del AMO Stephanie Mary Dalley sugirió que los jardines colgantes fueron construidos por el rey Senaquerib en la ciudad de Nínive). Se piensa que Nabucodonosor construyó los magníficos jardines para su consorte quien anhelaba entornos montañosos. Se decía que los jardines de la azotea se asemejaban a una gran montaña formada por terrazas y sostenida por columnas de ladrillos cubiertos de sol. Los árboles enraizados en las columnas llenas de tierra le daban al jardín su aspecto colgante.

Los jardines persas fueron diseñados a lo largo del eje central a semejanza con el pilar mundo o el árbol mundial (conocido como el *axis mundi*) para crear una simetría cósmica. En Mari, las paredes del atrio del palacio encerraban el jardín que se llamaba el Atrio de las Palmas. La característica central de los jardines en Ugarit era el árbol real: una palmera datilera o tamarisco. Las palmeras eran un tema popular en las fachadas de los templos que, según Dalley, "representaban arboledas de árboles, en contacto con el mundo subterráneo, que rodeaban una alta montaña, en contacto con el cielo." Los antiguos templos destacaban árboles estilizados, columnas y pilares que facilitaban el acceso a lo divino y representaban el templo como un centro sagrado. "Los árboles sagrados y su forma derivada del pilar/columna tenían una 'función arquitectónica' en la geografía cósmica, que servía para sostener los cielos" (citado de George and George 2014: 141 de Philpot 1897: 128). Los árboles también realzaban la dignidad de la ciudad y tomaron una posición central en los atrios de templos y palacios; su fruto comestible recreaba el jardín paradisíaco y significaba el logro de la paz y armonía.

El trabajo arduo creaba un jardín exitoso. En la tierra de Israel, los campos y las laderas los despejaban de piedras — que luego las convertían en terrazas y muros. Los jardines construidos en las laderas de las montañas requerían grandes cantidades de tierra además de un suministro regular de agua. Las llanuras del sur de Mesopotamia eran regadas por los ríos Tigris y Éufrates, mientras que las grandes ciudades de Egipto eran alimentadas por el Nilo; ambos se beneficiaron de canales de riego. Jerusalén, sin embargo, ubicada en la cima de una montaña, carecía de un río como fuente de agua. La recolección de agua de lluvia se mantenía estacional, por lo que una red de cisternas y reservas se volvió esencial para la supervivencia en la antigua capital. La vida no podría existir sin agua; una cisterna seca significaba una muerte segura. El agua del Manantial Guijón abastecía a Jerusalén con su agua potable e irrigaba el jardín del rey. Considerado el "manantial" de las aguas de la creación que fluía hacia el mundo entero, Guijón era el lugar para la coronación de los gobernantes de Israel. Salomón montó la mula del rey David hasta Guijón, donde Zadoc, el sacerdote, y Natán, el profeta, lo ungieron. "Tocad el *shofar* y decid: ¡Viva el rey Salomón! Él vendrá y se sentará en mi trono, porque él será rey en mi lugar, tal como yo lo he designado para que gobierne Israel y Judá" (1 Reyes 1:32-35). Walton explicó:

> El jardín colinda con la residencia de Di-s del mismo modo que un jardín de un palacio colinda el Palacio. El Edén es la fuente de las aguas y la residencia de Di- s. El texto describe una situación que era bien conocida en el mundo antiguo: un lugar sagrado presentando un manantial con un parque contiguo bien regado, abastecido con especies de árboles y animales.
>
> (WALTON 2009: 28)

Si bien el deseo del rey de crear un ambiente sereno y un paisaje visualmente atractivo era importante para él, la producción de alimentos era necesaria para mantener a quienes vivían dentro del espacio sagrado. Los campos adyacentes a la residencia del templo se desarrollaron para cultivar alimentos, y lo que se cultivaba se ofrecía a la deidad. Eventualmente, los templos se convirtieron en el centro del poder en las áreas económicas, judiciales, administrativas, y arenas legislativas —especialmente cuando se trataba de la producción de alimentos a gran escala.

El grano de trigo era uno de los primeros cultivos en el AMO que pudo ser cultivado y *cosechado* a gran escala. Árboles y vides no requerían del mismo esfuerzo. El surgimiento del trigo en la Media Luna Fértil fue un factor clave en el ascenso del mundo en desarrollo y la creación de ciudades-estado. El grano era ventajoso por que podría almacenarse a largo plazo—esencial para grandes centros de población, especialmente durante tiempos de hambre. Algunos, fuera de la corriente principal de la egiptología, han sugerido que el Laberinto (griego para un templo egipcio), descubierto en Egipto en 1888 por el profesor Flinders Petrie, fue construido por José (el hijo de Jacob) como un complejo de palacios y graneros. Este enorme complejo, con más de 3000 habitaciones, fácilmente podría haber servido como un centro administrativo y económico para la producción de alimentos y almacenamiento. Situado en el Lago Meris (90 km SE de El Cairo), un canal de irrigación conectaba del río Nilo e irrigaba los campos de trigo adyacentes. El canal todavía se llama Bahr Yosef o Canal de José.

✡   ✡   ✡

La Era

Los reyes del AMO construyeron templos para sus dioses. Cada una de las grandes ciudades de la antigua Mesopotamia presentaba grandes complejos de templos que incluían un santuario interior, un zigurat y un jardín en expansión. El edificio del templo era la residencia del dios que compartía con su consorte escogida. El dios y su nueva novia entraban en la cámara interior del templo, algunas veces llamada el "canapé", durante la celebración anual de Año Nuevo. Una boda sagrada renovaba el orden cósmico y era seguido por una dedicación al templo por siete días. La unión de la pareja real garantizaba un destino favorable para la fertilidad de la tierra. La producción de un heredero era vital para traer bendición y fecundidad al reino.

Dentro del complejo del templo había un jardín sagrado para plantar, cultivar y cosechar semillas que producían alimentos para la familia de la deidad. De acuerdo con Geo Widengren, "The House of the Plant of Life" (1951: 19) era un nombre común para los templos en el AMO. El jardín era un campo para cultivar alimentos. El zigurat, el lugar de reunión entre el Cielo y la Tierra y donde la deidad descendía a la Tierra, representaba el altar donde se cocinaba la comida del jardín y se ofrecía al dios.

El Santo de los Santos era el santuario interior del Templo en Jerusalén que albergaba el Arca del Testimonio, la Palabra de Di-s, en tablas de piedra. *Yeshúa* se refirió a la Palabra como semilla. El Santo de los Santos fue representado como el almacén, el establo, o el granero para el almacenamiento del grano de semilla. "¡Su horquilla está en su mano, y limpiará con esmero su era; recogerá su trigo en el granero" (Mateo 3:12). El grano de la semilla proveniente de la era proporcionaba alimento a los residentes dentro del espacio sagrado, así como a todo el Reino.

Adán era un sacerdote que trabajaba en el campo para cosechar alimentos para su familia y ofrecer ofrendas a su Di-s. La palabra hebrea para jardín es gan. Agregar la letra resh cambia gan (jardín) a goren (era), Goren también podría significar el primer lugar para recolectar semillas, que, por supuesto, es un jardín.

Aquel que provee semilla al sembrador también proporciona pan para la comida, y Él aumentará tu semilla y acrecentará el rendimiento de tu justicia.

(2 CORINTIOS 9:10)

Yeshúa a menudo hablaba del campo y lo equiparó con el mundo. Muchas de sus parábolas revelaron los misterios del Reino expresado en lenguaje relacionado con la agricultura. "El reino del Cielo es como un tesoro escondido en el campo, que un hombre encontró y de nuevo y después, con mucha alegría fue, vendió todo lo que tenía, y compró el campo." (Mateo 13:44). Dado que el complejo Templo incluía un "campo", es probable que se trate de una referencia al Rey David que compró la era de Ornan como el sitio del Primer Templo (1 Crónicas 21:15-30). "El campo escogido por *Isaac* en la montaña donde su padre *Abraham* lo había atado como sacrificio se convertiría en el sitio del Templo Sagrado, la Casa de Oración de Di-s para todas las naciones"(Greenbaum, *Rejoice Reapers of the Field*)." *Abraham* lo llamó el 'Monte del Templo', *Isaac* lo llamó 'campo', Jacob lo llamó 'palacio'; 'esto no es otro que la Casa de Di-s" (Pesikta *Rabbati* 39.5).

En el AMO, "el templo era el centro del poder y el control del cual la deidad traía el orden al mundo humano. La fertilidad, prosperidad, paz, y la justicia emanaban de allí "(Walton 2006: 127). El templo también era un centro administrativo para la producción de alimentos. José se desempeñó en el puesto más importante de la sociedad AMO, el superintendente del granero, lo que significaba que era el supervisor de los campos y los granos. Él fue responsable de establecer las cuotas de cosecha, registrar nuevas tierras en nombre del rey, fichar marcadores fronterizos, emitir contratos de arrendamientos de terrenos, y suplir el granero con semilla. Hay numerosas interpretaciones del nombre egipcio de José, Tzafnat-Pa'neach, que incluyen, "El Hombre a Quien se le Revelan los Misterios" y "El Buscador de Misterios" (Josefo *Antigüedades de los Judíos* 2:6). También es posible, que en lugar de un nombre personal, era un título que significaba "Nutridor de la Vida" (Patai y Graves 1992: 263).

Antiguamente, la era y el granero servían como espacios sagrados para ceremonias matrimoniales y otros rituales del templo. El dios egipcio Osiris, por ejemplo, celebró su revivificación en la era de su templo. En el centro de la era, había dos grandes piedras planas, una encima de la otra, ajustadas y unidas como una rueda de alfarero. La piedra superior representaba la fémina y la inferior, el macho. El molino de grano aludía al acto de matrimonio. Cuando Boaz extendió la esquina de su túnica sobre Rut mientras yacía a sus pies en la era, que era un símbolo de un ritual propuesta AMO (Rut 3:9). Al cubrirla indicaba la sumisión de Rut a Boaz como su novia, así como su responsabilidad de protegerla de un enemigo que intentara robar o destruir la cosecha de granos. La consumación de su matrimonio y la fruta resultante indicaron una clara victoria sobre el enemigo. De Rut salió la línea de los reyes de Israel; su semilla produjo la dinastía real de David, el precursor del Mesías (rey ungido). "En las ceremonias de matrimonio sagrado en los santuarios, el término 'jardinero' fue el epílogo dado a los hombres" (George y George 2014:134). Un matrimonio real que producía semilla significó una nueva actividad de creación y prefiguró la reunión del Cielo y la Tierra y la restauración de la creación.

El rey David entendió el significado de la era. El Ángel del Señor se le apareció parado en el lugar "entre el Cielo y la Tierra". Según la tradición, el ángel se paró en la Piedra de Fundación —el futuro sitio del Santo de los Santos, donde el Arca del Pacto estaba situada. Tanto el Templo de Salomón y el Segundo Templo que Herodes expandió fueron construidos sobre el fundamento del Monte Moriá comúnmente llamado *Even Shettiyah* (Piedra de Fundación). La era fue un área llana y circular, generalmente pavimentada y ubicada sobre una enorme roca plana en la cima de una montaña donde el lecho de roca estaba expuesto.

David compró la era de Ornán (Araunah) e instaló un altar en ese lugar. Ornán, el dueño de la propiedad inmobiliaria más valiosa, sigue siendo una de las figuras verdaderamente enigmáticas en la Biblia, única por su estrecha relación con el Templo. Las letras hebreas de su nombre sugieren una posible conexión con el Sumo Sacerdote, Aarón, y el Arca del Pacto, ha'Aron. Ambas palabras se forman a partir de dos palabras: or, (luz) y *nun* (semilla) —las mismas letras en el nombre de Ornán.

El grano también se conectó a varios rituales agrícolas, como las primeras ofrendas de fruta y las ceremonias del festival de la cosecha. Los sabios se referían a Israel como la primicia del grano. Contenido en *beresheet* (al principio), la primera palabra de la Biblia, está la expresión *bar reisheet* que significa primer grano. Di-s está aludiendo a Israel, la cual llama un "comienzo" de acuerdo con Rashi. Israel es santo para *Adonai*, la *reisheet* (primicia) de Su cosecha (Jeremías 2:3).

La primicia de la cosecha de trigo se ofrecía en *Shavuot* (Fiesta de las Semanas o Pentecostés) cuando estaba en pie el Segundo Templo. Entre *Pesach* (Pascua) y *Shavuot* hay un período de siete semanas lleno de aprehensión sobre el destino de la cosecha de cereales. El "cierre de la Pascua" traía gran alivio para la comunidad cuando la cosecha de trigo estaba finalmente madura y los días ansiedad culminaban. En la tradición judía, *Shavuot*, "El Día de los Primeros Frutos", coincidió con la entrega de la Torá siete semanas después del Éxodo de Egipto. Era "el tiempo de la cosecha de trigo, uniendo así la maduración espiritual de Israel con la maduración del trigo, y con la presentación de la ofrenda del campo" (Hareuveni 1980:64). El grano de trigo se convirtió en sinónimo de los justos de Israel. José, que sirvió como representante del faraón, recogió y almacenó grandes cantidades de grano de trigo de los campos en Egipto durante los siete años de abundancia. Di-s le prometió a Jacob: "Haré tu descendencia como la arena del mar que no se puede contar a causa de su abundancia" (Génesis 32:13).

Yeshúa el Mesías como la "primicia" de la resurrección. Al hablar de sí mismo, él declaró: "A menos que un grano de trigo caiga al suelo, solo queda una sola semilla". Pero si muere, produce muchas semillas" (Juan 12:24) — semilla justa que se extenderá a los cuatro confines de la tierra.

Durante *Shavuot*, en el Segundo Templo, una ofrenda especial de pan llamada *Sh'tai haLechem* (dos panes con levadura) se ondeaba ante la Presencia de Di-s que significaba una nación unificada y la bendición de Di-s en las necesidades terrenales del hombre. El comer los panes de manera regia significaba que los invitados se sentaban y comían su porción de pan en el área santificada del Templo. Sólo los reyes descendientes de Rey David podían sentarse en el Atrio Interior; en *Shavuot*, todos los que comían eran considerados un sacerdocio "real" y una nación santa. "A Él, al que nos ama, que nos ha liberado de nuestros pecados al costo de Su Sangre; 6 por Él somos un reino, esto es, *kohanim* para Di-s Su Padre" (Revelación 1:5,6). El apóstol Pablo declaró que el Mesías nos ha hecho tanto a (judíos y no judíos) uno, derribando la pared intermedia de separación que previamente nos había dividido. "Esto se hizo mediante el derramamiento de la sangre del Mesías para crear en unión con Él mismo, de los dos grupos, una nueva humanidad única y así hacer *shalom*" (Efesios 2:13-15).

Trillar es un proceso de separación de la semilla de grano del tallo. Después de que el grano se había extendido, los bueyes en yugo eran conducidos alrededor de la era para aplastar los tallos con sus pezuñas. Una trilladora pesada arrancaba las espigas de los tallos y aflojaba el grano de sus hojas sin dañar la semilla. La parte inferior del trineo trillador estaba cubierto con hojas de metal. Hecha de una sola pieza, su frente era más angosto y curvado hacia arriba (pensado para parecerse al Arca de la Alianza).

El aventamiento de los granos era el último paso en el proceso de trillar. Una vez que la semilla se separaba completamente de la paja sin valor (tallos, cáscaras, y cualquier parte que no era semilla), la cosechadora recogía las pilas y se aventaba el grano en el aire usando un tenedor grande. El viento se llevaba la paja más ligera ya que la semilla más pesada caía en la era para ser barrida y almacenada en el granero.

Las representaciones del proceso de trilla despiertan imágenes vívidas del Templo. Al igual que la trilladora, la cubierta del arca estaba hecha de una pieza de oro martillado que curvaba hacia arriba. El arca era el trono de Di-s sobre ruedas (Ezequiel 10) y puede haberse parecido a un carretón de trilla. Como cuando David transportó el arca a la era de Nakhon, y como Uza cayó muerto tratando de mantener el equilibrio cuando los bueyes tropezaron.

El trono movible de Di-s en la Tierra, el Arca de la Alianza, estaba en el interior del Santo de los Santos llamada la Casa de las Lenguas de Fuego (1 Enoc 14:8) – un fuego preservaba la buena semilla (el justo Israel) mientras destruía la paja (los injustos). El panorama es similar: cuando la carreta pasaba sobre la paja y las espigas, el grano escapaba el daño mientras que la paja arriba era pisada en pedazos. "Cuando uno tritura el grano para el pan, uno no lo tritura por siempre; uno pasa el caballo y las ruedas de la carreta sobre él, pero no lo tritura hasta hacer polvo" (Isaías 28:28).

Di-s compara a Israel, su siervo, con un carretón de trilla el cual molerá los ídolos que están en los templos de las naciones. Las naciones gentiles continuamente intentaron conquistar Jerusalén, y en particular el Templo, para usurpar el trono de Di-s y reemplazar Su Reino por el de ellos. Estos representan la paja y hojarasca que finalmente serían consumidos por el fuego.

> Entonces el hierro, el barro, el bronce, la plata y el oro fueron molidos a polvo y se convirtieron como paja menuda en el lagar en verano; y la violencia del viento los voló sin dejar trazas.
>
> (DANIEL 2:35)

> Te convertiré en horquilla de trillar, nueva, con dientes afilados y puntiagudos, para trillar los montes y triturarlos hasta hacerlos polvo, 16 mientras los avientas, el viento los volará lejos, y el torbellino los esparcirá.
>
> (ISAÍAS 41:15, 16)

Por lo tanto, como el fuego lame el rastrojo, y la hojarasca es consumida en la llama; así su raíz será como broza, y sus flores se esparcirán como polvo; porque ellos rechazaron la Torá de *Adonai-Tzevaot*, e insultado la palabra del Santo de Israel.

(ISAÍAS 5:24)

El juicio de Di-s es descrito como una llama ardiente que establece incendios en las montañas/templos para que las naciones sepan que *El Elyon* reina sobre los cielos y la tierra. "Fuego va delante de Él y quema a sus adversarios por todos lados" (Salmo 97:3). Su ira consumirá la paja, es decir, las naciones que vienen contra su posesión preciada, Israel. Él enviará un fuego que nunca se apagará (Lucas 3:17) hasta que todas las naciones vengan ante Él y glorifiquen Su nombre.

Adàn, Regenete Del Jardin

La siguiente viñeta es una historia puramente ficticia o *midráshica*. Intenta llenar los vacíos de la narrativa bíblica al imaginar cómo Adán (la humanidad) pudo haber sido parte del mundo altamente civilizado de la antigua Sumeria. La antigua tradición judía emplea a menudo el arte del *midrash* al complementar detalles que faltan a la narrativa con el fin de enseñar conceptos inusuales. Los rabinos suelen ser muy agresivos en sus interpretaciones — emprendiéndolas para proporcionar una descripción rica y detallada de personajes y eventos. Este fue un método de enseñanza también usado por *Yeshúa*. Por el contrario, el mundo cristiano generalmente se enfoca solamente en lo que realmente está escrito en el texto.

El objetivo aquí es proporcionar una ventana al mundo del Antiguo Próximo Oriente y responder a la pregunta de "¿y si?" ¿Pudo Adán haber sido "creado" fuera del jardín entre las culturas paganas y luego haber sido traído al jardín para un propósito particular? Este *midrash*, entonces, comienza con

Adán viviendo en la Media Luna Fértil y continúa siguiendo el patrón establecido por *Abraham* cuando Dios le llamó a salir de Ur de los caldeos a la tierra prometida. El enfoque de la Biblia está en el linaje de los siervos terrenales de Di-s, los reyes (los mesías), comenzando con Adán y terminando con el segundo Adán (*Yeshúa*). Por lo tanto, la "formación" de Adán pudo bien sido una antigua ceremonia de coronación. El "recibir el aliento" fue similar a los rituales de dedicación de los faraones de Egipto realizado en sus subordinados cuando fueron criados para servir. Descripciones culturales abarcan un período comprendido entre 4000-2100 AEC, que revelan una civilización floreciente. Durante este período, el río Eufrates (griego) era llamado el Buranuna.

El rápido descenso del sol en el Río Buranuna creó como una salpicadura de sangre al extenderse a través de las llanuras de la Media Luna Fértil en una de las doce ciudades- estado de Sumer conocidas como Uruk. Los residentes emociona- dos corrieron a la plaza principal para el desfile anual de Año Nuevo en honor a la diosa, Inanna (Dama del Cielo). Su procesión contaba con un séquito de dioses y diosas meno- res, sacerdotes del templo actualmente en servicio, y una gran cantidad de hábiles jardineros responsables de mantener sus jardines exuberantes. El jefe entre los jardineros era uno llama- do Adán, hijo de Utu (sol), cuyo destino estaba a punto de desarrollarse. Inanna era la diosa patrona de la ciudad. Su sonrisa se ensanchó cuando oyó los aplausos desde lo alto de su percha — el único ziggurat de Uruk (una torre rectangular hecha por el hombre que servía como punto de conexión entre el cielo y la tierra).

Uruk era la ciudad más influyente de Mesopotamia — un importante centro de comercio, transporte y administración. Sus muros fuertemente fortificados, construidos de ladrillos de arcilla, rodeaba la ciudad para proteger los campos y los jardines del complejo imponente del templo de Inanna. Una serie de Una serie de canales cavados a mano controlaban las aguas de la inundación del Buranuna para el riego. Muchos de los jóvenes de Uruk labraban los jardines y vivían entre la clase sacerdotal clase separada en el distrito de Anu. Los días largos eran la regla a medida que los trabajadores laboraban sin descanso bajo el sol sumerio abrasador para proporcionar a Inanna y su casa real el pan de cada día. Los dioses se habían cansado del trabajo agotador de alimentarse ellos mismos y crearon a la humanidad para producir su alimento. Los exuberantes jardines, situado en la orilla oriental del río, requerían un mantenimiento constante. Esclavos humanos se volvieron altamente competentes en el mantenimiento de un estilo de vida opulento de los dioses. Muchas de las personas locales trabajaban en los campos de cultivo cosechando higos, lino, trigo y cebada. Otros contribuyeron a las operaciones del curtido y la cerámica. Algunos de los residentes de la ciudad tuvieron la suerte de alquilar la tierra de los sacerdotes del templo.

El cortejo de Inanna partió de la ciudad para ascender los escalones de las siete terrazas que conducen a su santuario en la altura de un monte hecho por el hombre. La poderosa torre se elevaba por encima de las llanuras del sur de Mesopotamia; desde allí los nobles, los sacerdotes, los escribas y los funcionarios del templo controlaban la gran riqueza de Uruk. Todo el complejo del templo se llamó Eana o Casa del Cielo. Incluía jardines verdes, un zigurat hecho de ladrillos superpuestos en esmaltes de colores del arco iris, y una construcción de templos deslumbrante cubierta con una fachada de lapislázuli. Inanna, la Reina del Cielo y de la Tierra, era bien conocida en el mundo antiguo de Mesopotamia como la Diosa de la Mañana y la Tarde y la Luz del Mundo. Ella era representada por el sicómoro. Como la principal legisladora de la "Meh", las tablas sumerias que robó a su padre, Inanna disfrutó de su papel como la diosa de la justicia. Su don de la sabiduría y el conocimiento divino trajo la paz y prosperidad al pueblo de Uruk, o así lo creían.

Su corona de cuernos muestra con orgullo el cono de pino las insignias de su templo sagrado, Eana. Como la autoridad máxima de Uruk sobre la Vida y la Muerte, Inanna personificó la esencia de la renovación y la fertilidad, y es así que a menudo se le identifica como la Diosa Serpentina. Vestida en una túnica brillante de azul cobalto, adornada con joyas de cornalina, reflejaba las aguas inferiores de la que se formó. Casi todas las noches, se quedaba sola en la cima de su santuario, a la espera de recibir su porción diaria de alimentos procedentes de las sacerdotisas del templo.

Sus servidores del templo estaban inquietos, ansiosos por el nombramiento anual del rey de Uruk. Cuando el sol alcanzaba su cenit, el principal sacerdote cortaba el hígado de un cordero intachable de sacrificio. Después de estudiar su forma, color y textura, el sacerdote confirmaba la elección de Inanna. La multitud tronaba su aprobación, y un gran grito surgía. Inanna entraba en el santuario interior con su consorte leal, Dumuzi — Pastor y dios de los pastos verdes de Uruk. Su apareamiento sagrado bajo su árbol *huluppu* aseguraba la fertilidad de la tierra y bendiciones sobre la ciudad y su rey. Inanna había arrancado el árbol de la orilla del Buranuna para plantarlo en su jardín. Ella con amor lo atendía; su tronco resplandeciente se extendía hacia el cielo que formaba su fructífero trono. Una astuta serpiente hizo su nido en la raíz, mientras que Anzu construyó un nido en la corona del árbol.

En siete días, el nuevo nombrado soberano entraría en el santuario interior con la gran sacerdotisa especialmente designada de la diosa, Entu, como parte del ritual de coronación. Inanna presentaría las prendas de la realeza y ofrecía la corona sagrada para el nuevo rey cuando él se sentara en el trono. La gran sacerdotisa recogía el fruto sagrado del *huluppu*, comía de ella, y luego lo presentaba al soberano. Él se levantaba para convertirse en divino — ceremonialmente "nacido de nuevo" de los padres celestiales, Inanna y Dumuzi. El rey emergía de la cámara interior como el portador de la imagen de Inanna —la descendencia divina y el preciado fruto de su vientre.

En su coronación, el regente divino entraba en el mundo eterno de los dioses a través de los poderes regenerativos de Inanna. El comer la fruta también significaba que recibía sabiduría y conocimiento de Inanna para gobernar el reino. Cada día, se le instruía en matemáticas, astronomía y medicina —lo que le permitía ser mediador como sumo sacerdote entre la Casa del Cielo y de la ciudad de Uruk.

Uruk, la obra del dios,
y Eana, una casa que descendía del cielo,
cuyas partes fueron formadas por los grandes dioses.
Su gran muro, una nube, que estaba en el suelo.
La morada augusta establecida por An se te confío a ti,
Tú eres el rey y guerrero.

El rey también era responsable de asegurar todos los documentos legales, incluyendo cartas oficiales, contratos, registros económicos y textos literarios y religiosos de Uruk. Ellos fueron cuidadosamente organizados y firmados con sellos del cilindro reales hechos de materiales tales como marfil, hueso, o de madera. Los sellos, que representaban la firma del soberano y su identidad, se almacenaban cuidadosamente en la Cámara del Tesoro dentro del templo de Inanna.

Inanna vio el jefe jardinero, Adán, parado cerca de la escalera monumental del zigurat. Sabiendo que había servido con distinción en Eana, la Casa Real de los Cielos, Innana lo consideró como un candidato calificado para ser Rey de Uruk. Y así, a través de la adivinación, Innana examinó las estrellas y constelaciones por una señal celestial. Ella estaba encantada de ver la luna haciendo su Eclipse e interpretó este augurio como su confirmación del nombramiento de Adán, hijo de Utu, como el próximo gobernante. Su entronización ceremonia se estableció durante siete días.

Adán, agotado de trabajar en el campo, se recostó bajo la sombra de un gigante sicómoro de higo para escapar del calor sofocante. Reflexionó sobre su servicio, su meteórica promoción como jefe jardinero, y ahora... el cargo más alto en la tierra —¡segundo sólo a la diosa Inanna! Su nuevo título tenía un sonido mágico: ¡Adán, el Rey de Uruk! Su entusiasmo pronto se desvaneció cuando se considera la difícil tarea de gobernar al pueblo. Administrar la naturaleza caprichosa de la diosa podría resultar intolerable. Adán menudo soñaba con una vida diferente más allá de las fronteras de Uruk, en el que los dioses eran honorables y justos, y la justicia y la misericordia gobernaban. Se preguntaba en voz alta si sería capaz de abandonar su sueño con el fin de servir como gobernante real de Uruk.

Adán levantó de un salto; un ángel, envuelto en una luz brillante con ojos de fuego ardiente como antorchas, apareció ante él. En voz de trueno, el ángel le imploró a abandonar la ciudad inmediatamente para una tierra desconocida en las montañas cerca de la Gran Mar. Enervado, Adán corrió por la pendiente empinada a la ciudad. Entrando y saliendo de callejones, mirando por encima del hombro, se deslizó en su casa desapercibido. Después de recoger algunas pertenencias, se puso una camisa fresca de piel de oveja y planeó su escape.

Adán atravesado la vasta red de canales que conectan la ciudad con el río se dirigió hacia el puerto principal de Uruk. Los muelles estaban llenos de actividad. Los barcos que mueven bienes y personas, río arriba y río abajo, revelaron una floreciente industria marítima: la envidia del mundo conocido. La ciudad-estado había prosperado en su comercio, joyería, vino, y comida, especialmente la cebada y el trigo que crecía en el suelo rico de Uruk. Adán contrató a un local que poseía una pequeño yate de caña para transportarlo aguas arriba de la ciudad de Mari. Sus velas, esteras de papiro tejidas colocadas entre pares de polos, eran superiores para la navegación. El bote, que parecía una canasta de mimbre de gran tamaño, estaba cubierto con betún para evitar liqueos. Adán intentó en vano acomodarse dentro del estrecho casco.

Para los habitantes de la Media Luna Fértil, el río era una divinidad que adoraban. El viaje a través de este simbolizaba un viaje de un ser sobrenatural —una metáfora para entrar en el lugar inaccesible llamado el más allá. El río era la vía al ultramundo y un límite infranqueable; cruzarlo alteraría para siempre el individuo. Adán se mantuvo aprensivo. ¿Significaría la muerte instantánea? ¿Era esto realmente un camino de no retorno? Él sabía que el ultramundo era una "casa" de la que nadie regresaba.

El barquero señaló a Adán a la ciudad de Mari cuando apareció a la vista. Ubicada al oeste del Buranuna, Mari estaba ubicada céntricamente en la ruta comercial entre Sumer, en el sur y Levant en el oeste. Fue la primera ciudad planificada de la región —diseñada con un anillo interior para defenderse de los invasores extranjeros y un anillo exterior para proteger la ciudad contra las inundaciones. Los ingenieros aprovecharon su ubicación única y cavaron un canal que eludía la doble curva en el río. Los barcos mercantes podrían evitar fácilmente el río sinuoso y navegar en línea recta. Los numerosos canales de Mari le permitieron a la ciudad controlar sus puntos de entrada y proporcionaron enormes ganancias de los peajes que cobraban a los barcos que pasaban. Mari, conocida como un centro de fundición de cobre, produjo figuritas de terracota que se parecían a los dioses y diosas locales.

Después de asentarse con el barquero, Adán contrató a un burro de la plaza central de Mari para el viaje por tierra. Su primera parada fue Tadmor, el gran centro de comercio, situado a medio camino entre el mar Grande y el Buranuna. Adán se relajó en el oasis popular de la ciudad y observó con fascinación cómo una multitud estable de comerciantes transportaba sus productos al mercado. Considerada durante mucho tiempo una encrucijada cultural, Tadmor era la estación central de caravanas comerciales y un lugar de encuentro para las delegaciones diplomáticas. Desde allí, Adán viajó hacia el oeste, alrededor del borde sur de los picos nevados del Monte Hermón, para cruzar las aguas del alto Jordán. En Dan, entró por un enorme complejo de tres puertas construido con ladrillos secados al sol. Adán se sorprendió por el paisaje verde: flores de color coral y lavanda cubrían la orilla del río. Se refrescó en las aguas cristalinas y se estiró para disfrutar del calor del sol de la tarde.

Finalmente, llegó al trío de montañas: el destino de su nuevo hogar. Cuando comenzó el agotador ascenso, el ángel del Señor se le apareció y lo condujo al refugio celestial conocido como "Cielo y Tierra". Un perfume dulce llenó su nariz al pasar por la imponente pared de adobe que ocultaba un santuario de jardín. Como ex jefe jardinero en Uruk, Adán no podía esperar para entrar en este paraíso de montaña. Una gran piedra labrada a la entrada de la ciudad exhibía con orgullo el nombre: *Urusalim* (la fundación de *Shalem*). El Ángel del Señor lo había llamado *Yerush Shalem*, la Herencia de la Paz. Claramente no era una ciudad construida por manos de esclavos humanos como los grandes complejos de templos de Mesopotamia.

Cuando Adán ascendió, observó las casas predominantemente de dos pisos y techos planos, construidas sobre roca firme de piedra caliza, tan diferentes de las viviendas de las llanuras aluviales de Mesopotamia. La plaza principal de la ciudad estaba llena de actividad comercial. Los puestos del mercado estaban llenos de mercancías, en su mayoría cerámicas duraderas adecuadas para su estilo de vida agrario. Los recipientes de cerámica fueron hechos de la arcilla nativa de la región. Los artesanos locales primero quitaban las piedras y el exceso de escombros de la arcilla, luego agregaban agua antes de arrojarla al torno de alfarero. La rueda era una tableta simple, horizontal y giratoria hecha de dos piedras planas que se asemejaban a las piedras del parto; una rotado encima de la otra. Antes de que las ollas de barro fueran cocidas y pintadas de ébano, se cortaban diseños geométricos distintivos en la arcilla. Los puestos del mercado también estaban llenos de estatuillas de terracota, como las de Mari, así como una gran cantidad de herramientas de cobre: cinceles, hachas pulidas y cuchillas pequeñas para cosechar cultivos, esenciales para el floreciente comercio agrícola.

Cuando Adán terminó de desempacar sus pertenencias, un cortesano de la casa real lo convocó para comparecer ante el gobernante de *Yerush Shalem*. *Melech Zedekiah* (Rey de los Justos) y su esposa *Chacham* (Sabiduría), la Gran Dama de la casa, gobernaban la ciudad-estado y sirvieron como embajadores del Único y Verdadero Di-s. *Melech Zedekiah* construyó una residencia real oficial modelada según los cielos en la que el rey mostró sus impresionantes habilidades para cultivar los jardines del palacio. Algunos señalaron que su experiencia en horticultura excedía con creces sus habilidades en el campo de batalla.

La Coronación

El cielo es mi trono, y la tierra estrado de mis pies.
¿Dónde entonces está la casa que me habréis de edificar?
¿Dónde está el lugar de mi reposo?

(ISAÍAS 66:1)

Adán descubrió un paraíso jardín en la tierra junto al Gran Mar, no completamente diferente de los templos y jardines del este. Sin embargo, ningún ziggurat se elevaba sobre las llanuras para que "los dioses" descendieran del Cielo a la Tierra, ni había esclavos humanos para vestir, alimentar y nutrir a los dioses. En cambio, este santuario era la montaña donde el eterno Di-s habitaba "en medio" de Su creación — el centro y punto de conexión de su Templo Cósmico.

El único y verdadero Di-s había bendecido a *Melech Zedekiah* con sabiduría y conocimiento para construir un gran palacio con lujosos jardines en la parte superior de la montaña. Un pico serrado de color esmeralda perforaba el cielo mientras los ríos de agua viva se derramaban a través de un pico celestial que cortaba los pliegues en la roca caliza de la montaña. El agua se canalizaba a través de acueductos con columnatas y luego se elevaba sobre afloramientos rocosos para vaciarse en un profundo estanque de cristal. Una neblina de zafiro abrazaba las rocas; sus extremidades se movían a lo largo de caminos primordiales como si estuvieran suspendidos en el tiempo. Los enormes pilares de obsidiana soportaban arcos cuadrangulares para dar sombra a las pasarelas que se encontraban debajo. Escaleras alfombradas de luz brillante alcanzaban plataformas de varios niveles que mostraban una profusión de árboles, arbustos y enredaderas. Perlas de brotes tiernos cubiertos de rocío; los pastos de carrizo vibraban fuerte amplificando el conjunto de instrumentos de viento del Cielo. Las galerías de rosas translúcidas exhibieron sus lienzos de acuarela. Ramos perfumados de ambrosía flotaban a través del espacio sagrado y se sumaban al exótico espectáculo botánico.

En el centro del jardín se elevaban dos árboles — majestuosos pilares que conectaban el Cielo con la Tierra y servían como el eje cósmico y el núcleo del mundo. Dos querubines proporcionaban protección. Los árboles brotaban del suelo cerca del manantial Guijón; sus raíces profundas bebían de la fuente eterna. El Árbol de la Vida tenía la apariencia como una llama de fuego con perillas ornamentales de color bronce que salpicaban el tronco dorado y las ramas gruesas en tonos brillantes de siena quemada. Flores blancas, con plumas y centros de topacio florecían en racimos sueltos en sus extremidades. Las hojas correosas, de forma lanceolada y correosa poseían poderes curativos. El fruto delicioso producía un aceite rico y virgen usado para ungir a los reyes con la Sabiduría Divina.

El inmenso dosel del Árbol del Conocimiento del Bien y del Mal proporcionaba una agradable sombra. Brillantes hojas de esmeralda se llenaban con una savia de látex lechoso que protegía el árbol e irritaba la carne humana. Las raíces del árbol descendían a lo largo del tronco retorcido para formar un enrejado dorado. Las ramas musculares producían vigas perfectas para enmarcar una casa. La fruta temprana, de piel bronceada, teñida con un tono lavanda, contenía un anillo blanco de semillas rodeado por una masa de carne gelatinosa. Era el manjar más dulce en el jardín.

Los residentes de *Yerush Shalem* despertaron con brillantes cielos azules en el día de la coronación, el festival anual de Año Nuevo. Agarrando sus frondosas ramas, se alineaban en la gran plaza frente al palacio de *Melech Zedekiah*. Algunos acomodaban sus ramas de palma y olivo sobre la calle pavimentada de piedra. Una unidad élite de la guardia real, vestida con todos los atributos, salía primero de la puerta principal del palacio. Pajes reales seguían detrás con antorchas ardiendo. Los nobles llevaban tributo por el rey recién coronado: oro, incienso y mirra. Los sirvientes del palacio cerraban filas, cargados de comida y bebida para el banquete real. Las damas de la casa de la reina, adornadas con bellas joyas, montaban los caballos del soberano. Finalmente, apareció el futuro rey. Un grito de aclamación surgía. Adán asintió con la cabeza a los espectadores cuando pasaba junto al asno de *Melech Zedekiah*. Llevaba consigo la insignia del poder: una *ketonet* real (túnica de mangas largas) con hilos de oro y plata y tejida con los colores reales: azul, escarlata y púrpura. Adán apretó su bastón especialmente hecho para el evento.

La multitud estallaba en gritos de "*HaMelech, Ben Adam — ¡baruch haba b'shem Adonai!*" (El rey, Hijo del Hombre — bendito es Aquel que viene en el nombre del Señor). El séquito real pasaba entre la multitud antes de comenzar su descenso por el camino bien recorrido hacia el manantial Guijón en el valle — un lugar sagrado que presentaba el manantial conocido como la "fuente de agua viva". Aguas cristalinas burbujeaban intermitentemente desde en el interior de la caverna subterránea, el alma de la ciudad y el lugar para la investidura y la unción. Cada vez que la cueva se llenaba de agua, el desbordamiento se vaciaba a través de una división en las rocas. Un estanque adyacente recogía agua para la *mikve* real.

La primera parte de la ceremonia — la investidura, la unción y la aclamación — tenía lugar en el Guijón. La segunda parte (que incluía asumir un nuevo título, tomar el trono y recibir el homenaje de los funcionarios del palacio) se celebraría en el Edén: la sala del trono de Di-s. Como el hijo adoptivo del Rey Eterno, el nuevo nombre de Adán sería Ben *Elohim*, el Hijo de Di-s. Su doble posición como sumo sacerdote y soberano significaba que él sería el portador de la imagen de *Elohim*. El comer del fruto del Árbol de la Vida aseguraría su estado eterno. (Adán, sin embargo, nunca sería entronizado en Edén. Con el tiempo, un segundo Adán sería levantado para convertirse en el gobernante inmortal y divino — Ben *Elohim*, Hijo de Di-s. El segundo Adán derrotaría a los enemigos de Di-s, traerá descanso al cosmos, restaurará el Reino de los Cielos, y se sentará a la diestra de Di-s).

Adán fue inmerso en las aguas vivas del Guijón para la purificación ritual. El agua extraída de un recipiente distintivo de oro era derramada en la *Adánah* (tierra). Adán fue "formado" de este terrón de tierra humedecida en la imagen del maestro alfarero. La tierra, llamada *Adánah*, se inclinó en honor a Ben Adán (el Hijo del Hombre), representante sacerdotal de Dios en el jardín.

Una ráfaga del cuerno de carnero anunciaba la unción. *Melech Zedekiah* tomaba otro cuerno de carnero lleno de aceite de oliva recién sacado del Árbol de la Vida y lo ungía con la Sabiduría divina. El rico aceite saturaba su cabeza y se deslizaba sobre su barba hasta el cuello de su *ketonet* real. Adán recibió el ruach — la Sabiduría de quien respira vida en las fosas nasales. Una nueva luna silueteada servía como testigo silencioso de la ceremonia. Los cimientos de la tierra temblaron. El nuevo rey fue declarado El Ungido — Mesías.

Adán bendijo al único y verdadero Di-s en presencia de la corte real y exclamó, "Tuya es la grandeza, la fuerza, el esplendor, el triunfo y la gloria — todo en el Cielo y la Tierra. Tuyo es el reino y la soberanía sobre todos los regentes. La riqueza y el honor vienen de Ti, y Tú lo gobiernas todo — en Tu mano está el poder y la fuerza, y está en Tus manos hacer que alguien sea grande o fuerte."

Adán aceptó el *eduth* real escrito por la mano de Di-s: un decreto escrito que reconoce la autoridad del rey e indica el protocolo para entrar en el Edén. El servir con fidelidad al único y verdadero Di-s quiere decir que Adán no podía comer del fruto del árbol del conocimiento del Bien y el Mal. Comer su fruto prohibía al rey de entrar en el reino de lo divino en el Edén. El árbol era kedushá — santo y apartado. Su fruto fue declarado orlah, prohibido, durante tres años. Si lo comía, Adán sería exiliado del jardín y entonces cultivaría plantas en un campo lleno de cardos, espinas, y zarzas.

La ceremonia de coronación continuó. Adán vio el cielo abrirse, y el santuario eterno apareció en el portal del firmamento — una Casa Santa vestida de oro deslumbrante como una novia vestida con los rayos del sol y con una corona de estrellas. Un ángel salió de la puerta oriental y se paró frente a Adán con un mensaje del oráculo de Di-s. Una *eshah*, una esposa, serviría junto a Adán como un *ahzer*, "una que ayuda", para construir su casa. Ella sería un aliado de Adán y su igual. De su "jardín", surgirían frutas y extenderían la rectitud y la justicia al mundo.

Di-s separó a *Chavah* de Adán y lo apartó para el deber sacerdotal. Un tabernáculo celestial en la Tierra, sus huesos eran vigas de madera entrelazadas, y su carne teñida de rojo, pieles de carnero que cubrían la morada sagrada. Arregladas con lino fino y púrpura, *Chavah* y su esposo recibieron respeto en la puerta del jardín donde se sentaron para juzgar con el ejército del Cielo. El honor supremo fue otorgado a Adán y

Chavah, y estaban llenos de esperanza y grandes expectativas para su futura semilla.

✡   ✡   ✡

De Dioses Y Reyes

> Di-s ha sido mi Rey desde los tiempos antiguos, Él ha traído salvación en el medio de la tierra. En Tu poder estableciste el mar, en el agua destrozaste las cabezas de los monstruos marinos
>
> (SALMO 74:12,13)

El lenguaje de "realeza" impregna la Biblia; el Templo sirve como telón de fondo. El mundo AMO se organizó en torno al gobernador divino que participó en la creación del mundo en la primera creación. Los reyes antiguos, cuando fueron entronizados, se convertían en la imagen real de la deidad. Cuando el soberano entraba en el templo, se convertía en el ídolo de su dios, una estatua hecha por manos humanas. En el Antiguo Medio Oriente, se pensaba que el rey representaba "la imagen" de su dios. Como el símbolo concreto de la regencia de la deidad, el rey ejercía su autoridad soberana sobre el imperio desde el templo.

En Mesopotamia, el ascenso del rey al trono se entendió como un ritual de adopción. Llamado "hijo de dios", el gobernante divino funcionó en un entorno predominantemente político y burocrático. Era el sirviente especial del dios dotado de sabiduría divina para expandir el reino a los cuatro rincones de la tierra (ejemplo: el gobierno de Nabucodonosor en Daniel capítulo 4).

> ¡Eres tú, O rey! Tú has crecido y te has fortalecido – tu grandeza ha crecido y llega al cielo, y tu reino se extiende hasta los confines de la tierra.
>
> (DANIEL 4:22)

El templo del dios se asemejaba a un jardín y una montaña mundial; el rey era el *axis mundi* del jardín, un pilar vertical o árbol del mundo que conectaba el Cielo con la Tierra.

Su templo era una montaña alta cuya cima se asemeja al trono de Di-s donde el Rey eterno se sentará cuando desciende a visitar la tierra con bondad. En cuanto al árbol fragante, ni un solo ser humano tiene la autoridad para tocarlo hasta el gran juicio. Y a los elegidos se les presentará su fruto de por vida.

(1 ENOC 25:3-5)

El jardín era un espacio sagrado llamado Paraíso, cultivado por el jardinero rey, que servía como el portal a través del cual podía comunicarse directamente con la deidad. Los Himnos de Efrén (escritos a mediados del siglo IV EC) describen el Paraíso como una "montaña dividida en tres niveles, la más baja para los penitentes, la mitad para los justos y la más alta para los triunfantes" (Himno 2.11). "La asamblea de los Santos se parece al Paraíso; en ella, cada día es arrancado el fruto de Aquel que da vida a todos" (Himno 6.8).

En definitiva, el jardín encarnaba el estado ideal de armonía logrado por un gobernante /jardinero exitoso bajo la autoridad de su dios. En *Legend of Sargon* (Sargón significa que el Rey es Legítimo), es evidente un paralelo con el nacimiento de Moisés y su posición en la casa de Faraón. "Le conté una leyenda de nacimiento: hijo de una sacerdotisa, abandonado por su madre en un río local, rescatado y criado por el padre adoptivo que lo convirtió en jardinero; sus servicios como jardinero fueron agradables para Ishtar y se convirtió en rey". *Legend of Sargon*, 11.11-13).

En las tradiciones del AMO existía el jardín del paraíso donde un jardinero supervisaba el Árbol de la Vida que crece en el Agua de la Vida, un árbol de cuyas ramas había tomado una ramita que la llevaba como su vara o cetro.

(BARKER 2008:93)

De acuerdo con Geo Widengren, un "Árbol de la Vida era un símbolo ritual mítico de ambos, dios y rey" (1951: 42). Daniel describe al Rey Nabucodonosor de esta manera. Ezequiel describe al Rey de Asiria usando un lenguaje similar tomado del Edén.

El árbol que has visto y que creció y se volvió fuerte hasta que su corona llegó al cielo, y podía ser visto por toda la tierra, que tenía hermoso follaje y fruto abundante, suficiente para dar alimento a todos, bajo el cual los animales salvajes vivían, y en cuyas ramas las aves del aire hacían sus nidos

(DANIEL 4:20,21)

Como Asiria, un cedro del Lebanon. Tenía ramas hermosas, follaje denso, su copa rodeada de ramas con retoños. El agua lo nutría; la profundidad lo hizo crecer, mandado sus ríos al lugar donde estaba plantado, mandando sus arroyos a todos los árboles en los campos. Así que creció más alto que cualquier otro árbol, sus ramas crecieron en número y se extendieron a lo lejos y a lo ancho, pues tenía mucha agua para hacerlas crecer. En su copa todas las aves del aire hacían sus nidos, debajo de sus ramas todos los animales salvajes parían a sus pequeños, y todas las grandes naciones vivían bajo su sombra. Era hermoso en su grandeza y el tamaño de sus ramas, porque sus raíces descendían a mucha agua. Ningún cedro en el jardín de Di-s era como éste, ningún ciprés se comparaba con sus ramas, ningún castaño era rival para sus ramas, ningún árbol en el jardín de Di-s podía igualar su hermosura.

(EZEQUIEL 31:3-8)

El tronco del árbol, en comparación con la columna vertebral de un ser humano, era el rey que representaba, "un ser angelical, el sumo sacerdote, y el eje central de la *menorá*, que simboliza la Presencia de Di-s" (Barker 2008:94). Juan vio a uno semejante al Hijo del Hombre vestido con una túnica (*ketonet*) hasta los pies con un cinturón de oro envuelto alrededor de su pecho y de pie en el "medio" de las siete *menorot* de oro (Revelación 1:13). En Jerusalén, el árbol de Isaí era la casa real de Israel de la cual un vástago ungido daría fruto (Isaías 11:1). El *Tzemach* o renuevo, hermoso y glorioso, era un título para el Mesías (Isaías 4:2). "Un hombre cuyo nombre es el *Tzemach* [el retoño] retoñará desde su lugar y construirá el Templo de *Adonai*. Él construirá el Templo. Él llevará esplendor y se sentará y gobernará en Su trono" (Zacarías 6:12,13). Los árboles que brotaban indicaban la perpetuación de la dinastía. En el primer siglo, los creyentes se vieron a sí mismos no solo como ramas justas conectadas con la vid verdadera (Mesías, el rey) sino también como una nueva creación (retoño), un Reino de sacerdotes llamados Hijos de Di-s (basado en el título del Mesías, Hijo de Dios). Eran sacerdotes celestiales que disfrutaban de la vida en un Reino eterno en la Tierra mientras que al mismo tiempo vivían en el mundo.

Para Israel, el gobernante divino era el siervo "levantado" de Di-s, lleno del Espíritu. "El rey ungido era el vínculo del pacto eterno que tenía todas las cosas en su lugar designado" (Barker 2008:103). El profeta Samuel ungió al rey Saúl vertiendo un frasco de aceite sobre su cabeza, "¿No te ha ungido *Adonai* gobernante sobre su herencia... Entonces el *Ruach* de *Adonai* te arrebatará y profetizarás con ellos —te convertirás en otro hombre" (1 Samuel 10:6). Las últimas palabras de David son confirmación: "1 fiel el hombre quien Di-s levantó, para ser el ungido por el Di-s de Jacob, y bellos son los salmos de Israel. 2 "*El Ruach de Adonai* habló por medio de mí su palabra estaba en mi lengua" (2 Samuel 23:1,2). El soberano era el hombre elegido por Di-s, entronizado (levantado) y se le dio el título, "Hijo de Di-s". Él era "un rey terrenal, un patrón celestial y un ser angelical", y así el "estado divino del rey era parte del culto del templo" (Barker 2008:73).

12 Yo estableceré uno de tu semilla para sucederte, uno de tu propia carne y sangre; y Yo estableceré su reinado. 13 Él edificará una casa para Mi Nombre, y Yo estableceré su trono real para siempre. 14 Yo seré un Padre para él, y él será un hijo para Mí. 16 Así que su casa será segura y su reino para siempre delante de mí; su trono será estable para siempre.

(2 SAMUEL 7:12,13, 16)

Descansé en el Espíritu del Señor; y el Espíritu me levantó en alto, y me hizo ponerme de pie en la altura del Señor, ante su perfección y su gloria, mientras lo alababa por la composición de sus canciones. El Espíritu me sacó delante de la faz del Señor; y aunque era hijo de hombre, me llamaron Iluminado, el Hijo de Dios... Porque según la grandeza del Altísimo, así me hizo; y como su novedad, Él me renovó; y me consagró de su propia perfección.

(ODAS DE SALOMÓN 36)

El rey ideal de Israel estableció su gobierno sobre una base de rectitud y justicia. Se le dio acceso directo al oráculo de Di-s para recibir la instrucción necesaria para gobernar al pueblo con justicia y para servir como un canal abierto para las bendiciones de la nación. Un gobernante impío significaba un desastre para la gente.

También un sacerdote, el rey oficiaba sacrificios y ofrendas, y mediaba en nombre del pueblo. El poder y la autoridad de Di-s se ejercitaban a través del rey que era portador de Su imagen. Lleno de Sabiduría, el soberano también compartía las cualidades divinas de *Adonaí*: vida, eternidad, esplendor, gloria y majestad. Su pecado se convirtió en el pecado del pueblo; su justicia era su justicia. Como la imagen visible del Di-s invisible, el gobernante de Israel era descrito como el primogénito de toda la creación (Colosenses 1:15).

He encontrado a David mi siervo y lo he ungido con mi misericordia *Kadosh*. El clamará a mí: "Tú eres mi padre, mi Di-s, la Roca de mi salvación," Yo le daré la posición de primogénito, más alto que el más excelso de los reyes de la tierra. Permanecerá en mi misericordia para siempre, y en mi Pacto, seré firme con él. Estableceré su descendencia por siempre y para siempre, y su trono como los días del cielo.

(SALMO 89:20, 26-29)

La posición de Adán, antes de que él violara el mandamiento de no comer del Árbol del Conocimiento del Bien y del Mal, era la de primogénito de la creación. Como representante de la humanidad, su posición eventualmente sería restaurada cuando *Yeshúa*, la vocación portadora de la imagen del Mesías, se desarrollaba ante aquellos que se convertirían en una "nueva creación". Descritos como sus portadores de imágenes elegidos y los Hijos de Di-s, sus jardineros una vez más cultivaran árboles frutales y servirán como su real sacerdocio.

porque los días de mi pueblo serán como los días del Árbol de la Vida, y mis escogidos disfrutarán del uso de la obra de sus manos. Mis escogidos no trabajarán en vano ni criarán hijos para maldición, porque son la descendencia bendecida por *Adonaí*; y sus hijos junto con ellos.

(ISAÍAS 65:22B, 23)

CAPITULO DOS

EL JARDÍN

La tierra es de Adonaí y todo lo que la llena: el mundo
y los que moran en él. Porque Él fundó en los mares,
y lo estableció sobre los ríos. ¿Quién puede subir al
monte de Adonaí? ¿Quién puede estar en su lugar
santo? El de manos limpias y un corazón puro.
(Salmo 24.1-4a)

Di-s formó Su Casa Cósmica en tres dominios: cielo, tierra
y mar. Las aguas abajo cubrían el Templo terrenal, por lo
que parecía vacío y sin forma. En el tercer día, los mares se
juntaron; la Tierra, ahora visible, se convirtió en el centro del
cosmos. Se sentaron cimientos para tres atrios: Edén, el jardín
y el campo. Moldeado y formado por la mano del alfarero, el
Templo terrenal se transformó en una enorme montaña que
unía el Cielo y la Tierra. Los rayos iluminaron los cielos. Su
Palabra dio voces de trueno. La montaña tembló violentam-

ente cuando torrentes de fuego brotaron de su cumbre. La sabiduría celestial brotó de la fuente de agua viva; caía en cascada sobre rocas escarpadas y luego fluía hacia el jardín para regar la profusión de árboles.

✡　　✡　　✡

El Cielo, la Tierra y el Mar formaban parte de una estructura arquitectónica tripartita que formaba el Templo cósmico de Di-s. La tierra era su centro sagrado. Varios elementos estaban conectados al centro: una montaña cósmica, ríos que fluían desde la cumbre y un jardín de árboles. El Jardín en Edén fue diseñado en una estructura tripartita con una cámara interior al oeste, un jardín al este y un campo más allá del jardín. Según John Walton, Edén y su jardín contiguo formaron dos regiones distintas (2001:167-168). Él comparó el Edén con el Lugar Santísimo y el jardín con el Lugar Santo en el Templo (182-183). Los rabinos también reconocieron una distinción entre el Edén y el jardín (BT *Ta'anit* 10a). R. Samuel ben *Nahamani* declaró: "Este es el Edén, que nunca ha sido visto por el ojo de ninguna criatura, tal vez dirás, ¿dónde estaba entonces Adán? Él estaba en el jardín. Tal vez dirás, ¿el jardín y el Edén son lo mismo? ¡De ningún modo!"(BT *Berachot* 34b).

Edén reflejó el reino celestial; era un mundo invisible más allá del tiempo que correspondía al Santo de los Santos en el Templo. "Edén no está en el espacio y en el tiempo, sino que es el ideal omnipresente, el más allá" (Barker 2008:103). Walton dijo que Edén era la fuente de las aguas de la creación y albergaba el estado palaciego de Di-s; el jardín colindaba con su residencia (2009: 27-28). Según G. Anderson, "el Edén, como una montaña cósmica exuberante se convierte en un arquetipo o símbolo para el Templo terrenal" (1988: 192-99). El profeta Isaías describió el Edén como "la montaña de la Casa del Señor" (Isaías 2:2).

Di-s impartió justicia al mundo desde su trono en el Edén. En el Templo, el Lugar Santísimo, o santuario interno, albergaba el Arca del Testimonio. También llamado el *debir*, que significa palabra u oráculo, fue donde Di-s habló a Sus siervos ungidos. El Edén está formado por dos palabras hebreas: *ahd* (testigo o testimonio) y *din* (juez). En la antigüedad, un juez se sentaba en la puerta de la ciudad donde convocaba a la corte, adjudicaba casos y daba vida a la comunidad. Una variación de *ahd* es *edut*, que eran decretos reales escritos en un rollo que un rey recibía en su inauguración. Estos decretos fueron fundamentales para gobernar el reino. El rey debía ejercer justicia, misericordia y verdad. La palabra *ehd* (neblina) también es la raíz de *edut*. "Pero surgió una fuente que subía de la tierra y regaba la superficie completa de la tierra" (Génesis 2:6). El Templo en Zión era un jardín con regadío, como manantial cuyas aguas nunca fallan (Isaías 58:11). Al agregar la letra *nun* (semilla) a *ehd* (neblina) se forma el Edén, el lugar donde se originó el agua y la semilla. Desde la montaña Sagrada de Di-s en Jerusalén, que representaba al Edén, Su *edut* (ley o palabra) salió como un río para llevar justicia a las naciones.

Porque así tal como la tierra hace brotar sus plantas, o un jardín hace que sus plantas crezcan, así *Adonaí Elohim* hará que la justicia y la alabanza broten ante todas las naciones.

(ISAÍAS 61:11)

De acuerdo con G.K. Beale, el Árbol del Conocimiento del Bien y del Mal probablemente funcionó como un árbol de juicio: "El lugar donde Adán debería haber ido para 'discernir entre el bien y el mal', y por lo tanto donde debería haber juzgado a la serpiente como 'malvada' y pronunciar juicio sobre ella, ya que entró en el Jardín. "(2008: 129). Además, "el discernimiento entre el bien y el mal es una expresión hebrea que se refiere a reyes o figuras autoritativas que pueden emitir juicios para llevar a cabo la justicia" (128). Beale también declaró, "el arca en el Lugar Santísimo, que contenía la ley (que condujo a la sabiduría), hace eco del árbol del conocimiento del bien y del mal (que también condujo a la sabiduría). Otros estudiosos sugieren que el árbol prefiguraba las dos tablas de piedra dentro del Arca de la Alianza. Tanto el tocar el arca como la participación del fruto del árbol resultan en la muerte" (Beale y Kim 2014: 18).

El velo celestial que separaba al Edén del santuario del jardín estaba vinculado al firmamento. En el tabernáculo, una cortina de lino azul, escarlata, púrpura y fino, tejida con querubines, separaba el Lugar de los Santos (Edén) del Lugar Santo (jardín). Efrén el Sirio dijo que el Árbol del Conocimiento del Bien y el Mal era como el velo del Templo, y el Árbol de la Vida era el Santo de los Santos. El libro de Enoc sugiere que el Árbol de la Vida sería trasplantado desde la cumbre del Edén al jardín de abajo. (1 Enoc 24-25).

En el Segundo Templo, el sumo sacerdote pasaba por un pasillo entre los dos velos antes de entrar al Lugar Santísimo en el Día de la Expiación. En cinco ocasiones distintas, ingresaba a la cámara interior para realizar rituales de expiación que incluyeron rociar la sangre de toros y cabras sobre el Arca de la Alianza y sobre el velo, así como colocar incienso en una pala llena de brasas. Vestido con finas vestiduras de lino blanco, parecía como el Ángel del Señor envuelto en túnicas de luz blanca de pie ante el trono de Di-s. El ritual del incienso era parte de la reparación de la brecha en el Pacto Eterno. El humo de incienso que ascendía en una columna volvió a conectar a las personas con su Di-s (Revelación 8:3). Simbólicamente, la sangre y el incienso perdonaron el pecado, purificaron la impureza y restauraron el Templo y la nación, y restablecieron la unidad entre el Cielo y la Tierra.

El Jardìn

Los mundos visibles e invisibles se fusionaron en el jardín (el Lugar Santo) —el centro sagrado entre el Edén y el campo. Margaret Barker sugiere que el jardín paradisiaco se encentraba en medio de la corruptibilidad e incorruptibilidad. G

K. Beale dijo que el jardín, separado del mundo exterior, es donde "el siervo sacerdotal de Di-s adora a Di-s obedeciéndole, cultivándolo y protegiéndolo." (2004: 75)

Las ceremonias rituales llevadas a cabo por los sacerdotes en el Lugar Santo en el Templo restauraron simbólicamente la creación (similar al sumo sacerdote en el Santo de los Santos) uniendo el Cielo con la Tierra. Barker dijo que esto significaba llevando las oraciones y el arrepentimiento del pueblo a Di-s y llevando la bendición y la presencia de Di-s a al pueblo.

El rey-sacerdote extendió su dominio al traer orden al reino terrenal desde el centro del jardín, que estaba en la fuente de la creación. Di-s "colocó" a Adán en el jardín para cultivarlo y cuidarlo (Génesis 2:15) era una señal de que la tierra había sido sometida y liberada del caos. Con la ayuda del *edut* real (decretos), el servicio de Adán trajo estabilidad al mundo. Como jefe jardinero y el primero de los guardianes de la tienda real, Adán ejerció su vocación sacerdotal para dar fruto. La comunidad de Qumrán se identificó a sí misma como el Templo de Adán, un Edén de gloria como un jardín que da frutos y una plantación eterna (Beale 2004:78).

"La traducción aramea de Génesis 2:15 (Targum *Neofiti*) subraya esta noción sacerdotal de Adán explicando que fue puesto en el jardín 'para esforzarse en la Ley y observar sus mandamientos'" (70). Fretheim relacionó manteniendo el suelo con el guardar los mandamientos tal como un rey mantuvo la *edut*. En los Rollos del Mar Muerto (4Q418), los descendientes de Adán "que obedecerán" se describen como "caminar en una plantación eterna" (13,14). "La tarea principal de esta vocación es 'portar la imagen' que refleje la mayordomía sabia del Creador en el mundo y refleje las alabanzas de toda la creación hacia su creador. Los que lo hacen son el "sacerdocio real" y el "reino de los sacerdotes", el pueblo que está llamado a pararse en el peligroso pero estimulante punto donde el cielo y la tierra se encuentran"(Wright 2016: 76). En el libro de Revelación, los veinticuatro ancianos cantan una nueva canción como *kohanim* (sacerdotes) que reinan sobre la tierra (5:10). El contexto es el cosmos restaurado, la nueva creación, en la que los portadores de la imagen del "Nuevo Pacto" trabajan como jardineros divinos en la montaña santa de Di-s: el Templo.

Al servir en el Lugar Santo, el sumo sacerdote vestía ropas tejidas de lino fino blanco bordado con azul, escarlata y púrpura que combinaban con el velo interior antes del Lugar Santísimo. "La vestidura del sumo sacerdote, hecha de lino, significaba la tierra; el azul denota el cielo. [Di-s] también designó el pectoral que se colocaba en el centro del efod, para que se pareciera a la tierra, por eso, tiene el lugar medio del mundo "(Josefo, *Antigüedades de los Judíos* 3.184-185). Philo describió las vestiduras del sumo sacerdote usadas en el Lugar Santo como una copia del universo (*Special Laws* I.84-87). Un velo exterior, que se colgaba a la entrada del Lugar Santo (probablemente el velo que se rasgó en la muerte de *Yeshúa*) representaba las imágenes de un cielo estrellado. Llamado el "tapiz babilónico" en el Segundo Templo, estaba "bordado de lino azul y fino, de escarlata también, y púrpura forjado con habilidad maravillosa". Tampoco era esta mezcla de materiales sin su interpretación mística, sino que era una especie de imagen del universo "(Josephus, *The Jewish War* 5.212-214).

De acuerdo con A. Pelletier, el propósito del velo era oscurecer la visión del público sobre el misterio de la morada de Di-s y reservarlo para el sacerdocio privilegiado. La costura del velo era una reminiscencia del santuario del jardín. "Este velo era muy ornamental y estaba bordado con todo tipo de flores que produce la tierra" (Josefo, *Antigüedades de los Judíos* 3.124,126). Barker sugiere que el velo que separaba los dos mundos era la encarnación o la Presencia de Di-s en forma material en la tierra, agregando que tanto la piel como el velo de *Yeshúa* fueron rasgados en su muerte (2008: 105).

Isaías clamó por la restauración del Cielo y la Tierra. "¡Si desgarraras [como una prenda] los cielos y descendieras, los montes [reinos del mundo] temblarían en Tu Presencia y se derretirían!" (Isaías 64:1). El Templo del Reino está representado por una montaña alta que llena la tierra, un poderoso árbol cuya parte superior alcanza los cielos, un jardín rebosante de árboles de frutas suculentas, un viñedo lleno de jugosos racimos de uvas y campos emblanquecidos de grano de trigo listos para cosechar. *Yeshúa* describió el Reino como aquí ahora pero todavía no, un jardín que está presente pero que no se ve. Eligió revelar el Reino usando imágenes agrícolas, el lenguaje de un fructífero santuario de jardín. Las parábolas describen suelo fértil, grano de siembra, tesoro enterrado, árboles poderosos, viñedos, eras y almacenes. Los obreros del reino (que son sacerdotes) fueron sembradores de semillas, horticultores, productores de trigo y obreros en huertos.

Las parábolas de *Yeshúa* son historias *midráshicas* que comunican cómo funciona el Reino: sembrar semillas en buena tierra (Mateo 13:18-23), encontrar un tesoro escondido en un campo (Mateo 13:34), o un hombre que contrata trabajadores para su viña (Mateo 20.1- 15). El Reino se compara con un grano de mostaza que un hombre tomó y plantó en su campo. "Creció y se convirtió en un árbol [cósmico] y las aves del cielo anidaron en sus ramas" (Mateo 13:32). Cuando los reyes en el mundo antiguo derrotaban a un enemigo, a menudo tomaban las semillas y los árboles jóvenes del jardín del gobernante derrotado para plantarlos en sus jardines. Las aves del aire se refieren a los súbditos del rey. Las plantas que llevaban semillas y los árboles productores de fruto eran metáforas para los sacerdotes y reyes humanos formados en la imagen de Di-s. Las parábolas son un nuevo lenguaje de creación basado en el patrón de la creación original.

Yeshua Explicó el significado oculto del Reino a sus discípulos, porque tenían ojos para ver, oídos para escuchar y corazones para recibir. "A ustedes se le ha dado conocer los secretos del Reino de los Cielos, pero a ellos no se les ha dado" (13:11). "[El Reino] no vendrá esperándolo, no será una cuestión de decir 'aquí está', sino que el Reino se extiende sobre la tierra y los hombres no lo ven" (Evangelio de Tomás 113). Para los discípulos de *Yeshúa*, el Reino/jardín era una realidad visible y plenamente funcional. Para los de fuera, los sordos, los ciegos y los de cuello rígido, el jardín permanecía oculto hasta que estuvieran listos para recibirlo.

Yeshúa anunció que era la vid verdadera y que su Padre era el viñador (Juan 15:1). Una referencia de Isaías muestra a Di-s como el maestro jardinero plantando una vid en Su viña: "Mi amado tenía una viña en una colina muy fértil, la desenterró y limpió sus piedras, plantó una vid selecta y construyó una torre en el medio..." (Isaías 51:2). Las torres o refugios elevados (en viñedos) se transformaban en residencias de verano de familia con dormitorios. Desde este punto de vista, podían vigilar sus cultivos hasta el momento de la cosecha. Estos eran pequeños refugios construidos con piedras grandes con ramas dispuestas en los techos para asemejarse a las sucá (cabañas temporales utilizadas durante la semana de la Fiesta de los Tabernáculos) — como los sacerdotes de servicio en el Templo durmiendo en sus dormitorios durante sus rotaciones semanales. También aparece la imagen de los sacerdotes que custodiaban la viña de Di-s. En aquel día habrá una viña placentera — ¡Y el deseo de cantar acerca de ella! "Yo, *Adonai*, la guardo. De momento a momento la riego. Para que ningún daño le sobrevenga, la guardo noche y día." (Isaías 27:2,3).

Di-s plantó a su rey ungido [Mesías], la vid, en el centro de Su viña, el lugar donde el Cielo y la Tierra se encuentran. *Yeshúa* cuenta la parábola de un "hombre" que plantó una viña (Marcos 12:1-11, Lucas 20:9-19). Es probable que se trate de una referencia a Noé que plantó un viñedo después de salir del arca (el arca fue el Templo suspendido entre el Cielo y la Tierra). El nombre de Noé significa descanso o consuelo, un indicio de su condición de rey. En el AMO, el "reposo" indicaba que los enemigos habían sido sometidos (es decir, la inundación se había disipado), el rey estaba entronizado y el Reino se había puesto en funcionamiento. Como sumo sacerdote y rey, Noé proporcionaría consuelo, o más exactamente, arrepentimiento, en el lugar donde los pecados fueron perdonados: el Templo. Desafortunadamente, Noé, el "hombre", llevó la vergüenza al espacio sagrado al exponer su desnudez. Esta expresión llegó a ser un eufemismo para el exilio.

La parábola describe a un hombre construyendo un cerco de piedras alrededor de la viña, cavando un pozo para el lagar y construyendo una torre de vigilancia. El "hombre" arrienda la viña (Templo) a los arrendatarios (jefes de los sacerdotes) y se va de viaje. Después de enviar numerosos sirvientes en su lugar, que son golpeados o asesinados, el "hombre" envía a su "hijo amado" y heredero a recoger el fruto del viñedo. Él, también, es asesinado por los arrendatarios. "El dueño de la viña [Di-s] vendrá y destruirá a esos arrendatarios y dará la viña [herencia] a otros" (Lucas 20:9-19). Los otros son Sus sacerdotes portadores de Su imagen que se habían arrepentido y se habían apartado de la idolatría.

Yeshúa criticó al liderazgo elitista del Templo por contaminar el espacio sagrado con su idolatría. Los comparó con los arrendatarios. Algunos de los principales sacerdotes, bajo el Sumo Sacerdote Annas, se alinearon con Herodes, Pilato y Roma. Buscando obtener beneficios personales, las autoridades gobernantes colocaron cargas pesadas sobre el pueblo en lugar de proporcionar "consuelo" en el lugar donde los pecados fueron perdonados.

Mobiliario Del Jardín

Cuando los peregrinos llegaban al Templo para las fiestas agrícolas, el tapiz babilónico era retirado permitiéndoles ver dentro del Lugar Santo. Este velo se rasgó en la muerte de *Yeshúa*. "En las fiestas, para acomodar a las grandes multitudes, a todos los israelitas se les permitía entrar al salón de los sacerdotes, en cuya ocasión se corría el velo del vestíbulo para mostrarle al pueblo el interior del *Hekhal* (Lugar Santo).

La gente, aunque apretada, podría encontrar suficiente espacio para postrarse, siendo este uno de los milagros asociados con el Templo "(Jewish Encyclopedia Online:" Temple Administration and Service"). El velo que se corrió en el Templo en las fiestas fue significativo. Significaba que el pueblo quienes traían el producto de la tierra podían ver la realidad del Reino dentro del Lugar Santo.

✡   ✡   ✡

Tres piezas de mobiliario: la *menorá* de siete brazos, el altar del incienso, y la mesa del pan de la Presencia revelan cómo funciona el Reino. Los tres se originaron dentro del Arca de la Alianza, pero se establecieron en el Lugar Santo. La *menorá* correspondía a la vara de Aarón que reverdeció, el Pan de la Presencia era el maná dentro de la jarra de oro, y el Atar de Incienso estaba conectado a las tablas del pacto.

Ahora bien, el primero tenía regulaciones para la adoración y un Lugar *Makon Kadosh* aquí en la tierra. Un Tabernáculo fue erigido exteriormente, y fue llamado el Lugar *Makon Kadosh*, en él estaba la *menorá*, la mesa y el pan de la Presencia. Detrás del segundo *parojet* había un Tabernáculo llamado El Lugar *Kadosh Kadosh*im, que tenía el altar de oro para quemar incienso y el Arca para el Pacto completamente cubierta de oro. En el Arca había una urna de oro que contenía el maná, la vara de Aarón que retoñó, y las Tablas de Piedra del Pacto; y sobre ella, estaban los *Keruvim* representando la *Shejinah*, que cubrían el Arca con su sombra; pero ahora no es el momento de hablar de esto en detalle. Y con las cosas arregladas de esta forma, en el Tabernáculo externo entraban los *kohanim* todo el tiempo para el oficio de sus deberes; pero en el interno, sólo entra el *Kohen HaGadol* tan sólo una vez al año, y siempre debe traer sangre la cual ofrenda por sí mismo, y por los pecados cometidos en ignorancia por el pueblo.

(HEBREOS 9:1-7)

La mesa para el Pan del Rostro, o de la Presencia, estaba a la derecha de los sacerdotes, directamente frente a la *menorá*, cuando entraban al Lugar Santo. Como el Arca de la Alianza, la mesa estaba hecha de madera de acacia y cubierta de oro. Los anillos se unieron a las cuatro esquinas para que las varas pudiesen insertarse para facilitar el transporte. El pan, considerado "el más sagrado de todos las ofrendas" (Targum Onkelos Levítico 24:9) simbolizaba la presencia de Di-s en el santuario. Doce panes se horneaban semanalmente para el *shabbat* y se exhibían en la mesa durante siete días. Tamizada once veces, la harina (llamada *solet*) producía los mejores panes de trigo que, según Josefo, eran sin levadura. Ellos eran formados con cada extremo vuelto hacia arriba para parecerse al Arca de la Alianza. Cinco de los panes eran comidos por el sumo sacerdote, y los siete restantes eran entregados a los sacerdotes para comer mientras se encontraban en el atrio interior — donde solo los reyes podían sentarse.

El Pan de la Presencia proporcionó alimento para los sacerdotes y "parecería reflejar los alimentos producidos en el jardín para el sustento de Adán" (Walton 2001:182). Las hogazas de pan eran horneadas el viernes para la ceremonia del *Shabbat* que incluyó retirar los panes viejos, dividiéndolos entre los sacerdotes, y reemplazando los viejos con nuevos." En las fiestas, la mesa se elevaba a lo alto" [...] y se mostraba a los peregrinos. Los sacerdotes gritaban: "¡Cuán preciosos son para Dios! El pan era retirado cuando fuera necesario, pero a pesar de que siete días habían pasado, todavía estaban calientes como si se hubiesen recién horneado" (BT *Menachot* 29a).

El hecho de que la mesa se describa como pura, nos enseña que a los sacerdotes les gustaba mostrar el pan de la proposición a los peregrinos en las fiesta, y les decían: Entonces, ¿qué tan amado eres ante el Omnipresente, ya que el pan está caliente en *Shabbat* después de una semana sobre la mesa como estaba acomodado... al mismo tiempo está claro que el milagro del pan de la proposición fue un milagro realizado fuera del santuario, ya que era visible para todos. (BT *Yoma* 21a)

La mesa fue construida para incluir moldes especialmente diseñados para contener los doce panes. Los sacerdotes dispusieron el pan sobre la mesa justo cuando arreglaban los trozos de carne en el altar del holocausto. "Preparas [arreglas] una mesa delante de mí en presencia de mis enemigos" (Salmo 23:5). La palabra hebrea para mesa es *shulcan* de la raíz *shalach* — que significa "enviar" o "enviar lejos". El *Shiloach*, o Estanque de Siloé, proviene de la misma raíz. Un apóstol o emisario que es "enviado" se llama *shliach*. Tanto Moisés como *Yeshúa* fueron descritos como "enviados". Una imagen emerge de los doce panes separados, llenos con la Presencia de Di-s, siendo enviados desde el "altar" para dar vida al pueblo. En el tiempo de *Yeshúa*, esto se cumplió en el ministerio de sus doce *talmadim* (discípulos).

Después de que el rey Saúl había movido el Tabernáculo a *Nob*, David y sus hombres se acercaron al Sumo Sacerdote *Ahimelech* (mi hermano es el rey) solicitando comida. "Ahora, por lo tanto, ¿qué tienes a mano? Dame cinco panes en mi mano, o lo que se pueda encontrar" (1 Samuel 21:2-6). Sin "pan común" disponible, los doce panes de la Presencia fueron ofrecidos a David una vez que se confirmó que los hombres se habían "guardado de mujeres". En el Templo, los sacerdotes que servían no podían casarse con mujeres contaminadas, que incluía prostitutas o mujeres divorciadas. Es probable que David al comer el pan era una imagen del estado original de Adán en el jardín como sacerdote y rey. Sería el Mesías, de la línea real de David, quien finalmente restauraría ese rol.

Al igual que David y sus hombres, los discípulos de *Yeshúa* tuvieron hambre. Ellos cardaron los campos arrancando y comiendo cabezas de grano en el *Shabbat*. Los sumos sacerdotes y las elites gobernantes declararon que esto era una violación. *Yeshúa* respondió de esta manera:

Pero Él les dijo: "¿No han leído nunca lo que David y los que estaban con él hicieron cuando tuvieron hambre? Entró en la casa de Di-s y comieron el Pan de la Presencia, que era prohibido para él y sus acompañantes, sino solamente es permitido a los *kohanim* (sacerdotes). ¿O no han leído en la Torá que en *Shabbat* los *kohanim* profanan el *Shabbat* y, sin embargo, no son culpados? ¡Les digo, aquí en este lugar hay algo mayor que el Templo! Si ustedes supieran lo que quiere decir 'Yo quiero misericordia, en vez de sacrificios de animales,' no condenarían al inocente. ¡Porque el Hijo del Hombre es el Adón del *Shabbat*!"

(MATEO 12:3-8)

Cada pan fue horneado con dos *omers* (porciones) de trigo, como la porción doble de maná que los hijos de Israel recogieron en el sexto día (en el campamento de desierto) que proporcionan las "sobras" para el *Shabbat*. Cuando *Yeshúa* alimentó a los cinco mil, distribuyó los panes de pan de cebada. Ordenó a la multitud a recostarse sobre la hierba, tomo los *cinco* panes y los dos peces; miro al cielo, y ofreció la *brajá* (bendición). Una vez que comieron y se sintieron satisfechos, los discípulos recogieron doce canastas de "sobras" piezas.

Un *midrash* sobre Rut (2.14) explica: "Y ella comió en este mundo, y fue satisfecha en los Días del Mesías, y tuvo sobrante en el Mundo Venidero" (BT *Shabbat* 113b). Como la bisabuela del rey David, Rut confirmó el destino eterno de su casa. *Yeshúa* (Hijo de David) se declaraba a sí mismo como rey y sumo sacerdote al traer el Pan de la Presencia, la comida eterna, fuera del Lugar Santo para alimentar a la gente. "Días del Mesías" representaba la intersección entre este mundo y el mundo por venir: en el jardín. En el período mesiánico, Di-s revelará el camino al Edén para Israel (BT *Ta'an* 10a). *Yeshúa* alimentó a la multitud con un suministro interminable de pan. Era un recordatorio de que los panes se llamaban "pan continuo". *Yeshúa*, en quien Di-s puso Su Presencia, proporcionó a la gente alimento físico y espiritual. *Yeshúa* es el pan de vida que descendió del Cielo. Él es la nueva creación: un templo levantado lleno de la Presencia de Di-s. Comer maná "sobrante" en el séptimo día (Éxodo 16:29) proporcionaba un sustento eterno para aquellos que son un reino de sacerdotes. "El pan de Di-s es aquello que [o él] desciende del cielo y da vida a la creación (*kosmos*), no es una iconografía de Pascua: es un cuadro del Día de Expiación, cuando el pan/carne del gran sumo sacerdote da nueva vida para el mundo" (Barker 2014:255). El pan es el *basar* (carne) o las buenas nuevas, la palabra (semilla) que se hizo carne y "tabernaculizó" entre nosotros (Juan 1:14). *Yeshúa*, el Mesías, el enviado, el pan de vida lleno de la Presencia de Di-s, proporciona un sustento eterno a su pueblo del pacto.

En la entrada al Lugar Santísimo estaba el Altar de Incienso. Al igual que el Arca de la Alianza, estaba hecho de madera de acacia y cubierto con oro puro. Su parte superior cuadrada tenía un cuerno de oro en cada una de las cuatro esquinas. El altar era transportado por varas que se insertaban en los anillos de oro sujetos a los lados. En *Yom Kippur* (Día de Expiación), el sumo sacerdote rociaba sangre sobre el arca, contra las cortinas y sobre los cuernos del Altar de Incienso que correspondía a las tablas dentro del Arca.

El sumo sacerdote (o un asociado) quemaba incienso todas las mañanas y tardes en el altar de oro. El incienso se producía a partir de una combinación de semillas trituradas, resinas, corteza y gomas para crear un dulce aroma que impregnaba el Templo. En *Yom Kippur*, el incienso también se añadió a la pala de brasas colocados entre las varas del Arca de la Alianza. Philo comparó las cuatro especies de incienso (Éxodo 30:34) a "un símbolo de los elementos [aire, agua, fuego y tierra] de los cuales se completó el mundo entero" (*Who is the Heir?* 197). Las brasas de la madera de higo que ardían en el gran altar se llevaban en un cuenco de oro y se colocaban en el altar del incienso. Mientras se ofrecía el incienso diario, los que estaban en los recintos del Templo se quedaban inmóviles al principio y luego comenzaban a orar (Lucas 1:8-10, Revelación 8:1). "Escucha mi voz cuando te llamo. Que mi oración sea puesta ante ti como incienso" (Salmo 141:2). El humo que subía del altar del incienso era un recordatorio de que Di-s cortó un Pacto Eterno con *Abraham* cuando la antorcha encendida y el horno humeante pasaron a través de las partes de los animales (Génesis 15).

Existe cierta confusión en torno a la ubicación del Altar de Incienso basado en un versículo en la epístola de Hebreos. "Más allá del segundo velo había una morada llamada el Santo de los Santos. Contenía un Altar de Incienso dorado y el Arca de la Alianza, completamente cubierta de oro" (Hebreos 9:3,4). Una descripción similar aparece en el libro de Revelación cuando el Cordero abre el séptimo sello. "Otro ángel estaba de pie ante el altar sosteniendo un incensario de oro y se le dio una gran cantidad de incienso para añadir a las oraciones de todos los *kedoshim* (santos) sobre el altar de oro delante del trono" (Revelación 8:3,4). "El sexto ángel sonó su *shofar*, y oí una voz de entre los cuatro cuernos del altar de oro que estaba delante de Di-s" (Revelación 9:13). Aquí, también, el Altar de Incienso está directamente delante del trono. Parece que el velo que separa el Lugar Santísimo del Lugar Santo ha sido eliminado. Esto puede sugerir que la renovación del Pacto Eterno ahora está completa: el Cielo y la Tierra son uno. "Entonces vi un cielo nuevo y una tierra nueva; porque el primer cielo y la primera tierra pasaron y el mar ya no existía"

(REVELACIÓN 21:1)

La *menorá* se parecía a un árbol estilizado con tres pares de ramas extendidas. Era el símbolo del Árbol de la Vida en el jardín; su tallo central era la encarnación del rey divino. Cuatro copas con forma de flores de almendro con capullos y flores se mostraban de forma prominente en su tronco. "Moisés entró en el *Ohel Edut* (tienda de testimonio) y vio que la vara de Aarón que había brotado, florecido y producido almendras" (Números 17:8). Tal vez la vara de Aarón con almendras (y colocada dentro del arca) era originalmente del Árbol de la Vida.

El *Apocalipsis de Moisés* describe el trono carruaje que descansa en el Árbol de la Vida. "Descansar" era una expresión idiomática por estar sentado en el trono. En la *Carta de Bernabé* (8.5), "el reino de *Yeshúa* fue fundado en un árbol".

Vi el Paraíso, y en medio, el Árbol de la Vida, en el lugar donde el Señor descansa cuando va [asciende] al Paraíso... ese árbol es indescriptible para agrado y fragancia, y más hermoso que cualquier cosa creada. Su apariencia es dorada y carmesí y en forma de fuego.

(2 ENOC 8:3, 4)

Aarón, el Sumo Sacerdote, ajustaba las mechas de la *menorá* en el Tabernáculo. "Él [debía] arreglar las lámparas en orden en la *menorá* de oro puro delante de *Adonai* continuamente" (Levítico 24:4). La *menorá* dorada en el santuario se asemejaba a un árbol con ramas, flores y cuencos con forma de flores de almendro (Éxodo 25:31-33). Durante el período del Segundo Templo, cinco lámparas eran ordenadas por la mañana y dos por la tarde. Diez *menorot* se encontraban en el Lugar Santo en el Primer Templo: "Los candelabros de oro puro, cinco a la derecha y cinco a la izquierda frente al santuario interior" (1 Reyes 7:49). Los sacerdotes que servían en el Lugar Santo debieron haberse sentido como si estuvieran caminando con la Presencia de Di-s como en un bosque iluminado — como Adán en el jardín.

El número cinco está relacionado consistentemente con el Tabernáculo: sus medidas eran todas divisibles por cinco. En el libro de Daniel (2:3-46), cuatro reinos gentiles se caracterizan por ser una estatua hecha por el hombre: una imagen enorme y deslumbrante que fue golpeada por un corte de piedra de una montaña no hecha por manos humanas. (Las montañas eran sinónimo de templos.) Se había vuelto grandioso y había llenado toda la tierra. El quinto reino aplastó a los cuatro anteriores junto con sus gobernantes. "Ahora en los días de esos reyes, el Di-s del cielo establecerá un reino que nunca será destruido... aplastará y pondrá fin a todos estos reinos. Pero durará para siempre"(Daniel 2:44,45).

Yeshúa fue la montaña/Templo que unificó el Cielo y la Tierra. Su cuerpo resucitado forjó la nueva creación. Lleno de la Presencia de Di-s, Él le reveló a Sus talmadim (discípulos) cómo debería funcionar el Jardín/Reino. El servicio del Pan de la Presencia significaba que Él es el pan continuo que da sabiduría. El servicio en el Altar de Incienso lo describió como una nube fragante que se levanta para que Sus sacerdotes puedan comunicarse diariamente con Di-s. La menorá muestra que Él es la luz verdadera que brilla en la oscuridad. El Lugar Santo, una vez solo visible para los kohanim del templo o los peregrinos en las fiestas, ahora era visible para aquellos que se habían convertido en un "Reino de sacerdotes" y un "real sacerdocio". Con el tiempo, cuando el Reino esté completamente restaurado y el Cielo y la Tierra se vuelvan uno, los sacerdotes del Reino del Mesías pasarán a través del velo final y vendrán "cara a cara" con Di-s (Revelación 21,22).

✡   ✡   ✡

El investigar la estructura del Templo es esencial para entender cómo opera el Reino. Si vamos a ser un "Reino de sacerdotes", cultivando e intercediendo en nombre del mundo, entonces aprender el propósito y la función de los servicios y las ceremonias es fundamental. El siguiente relato ficticio, basado en información de la Mishná, describe cómo los sacerdotes realizaban el servicio diario de la menorá dentro del Lugar Santo.

Yonah estuvo dando vueltas durante toda la noche. ¡Apenas podía contener su emoción! Su mente corría en preparación para las actividades de la mañana. *Yonah* estaba desesperado por dormir, pero tantos detalles inundaron sus pensamientos. ¡No podía dejar nada al azar! Un atisbo de aprensión nubló su emoción: *¿Qué pasa si me olvido de las partes del servicio? ¿Qué pasa si no puedo ejecutar mi tarea asignada correctamente? ¿Qué pasa si se pronuncia la bendición equivocada? ¿Qué pasa si...?* *Yonah* finalmente se quedó dormido.

Era la primera semana del joven sacerdote para servir en el Templo. Descendiente del curso de *Yeshúa*, el noveno *mishmar* (división o curso), *Yonah* había entrenado cuidadosamente durante la mayor parte de un año. Al llegar al Templo, se escabulló entre las multitudes para subir al *Azarah* (atrio interior) donde se quedó paralizado por los imponentes complejos de puertas y la enorme inmensidad del edificio mismo del Templo. La vertiginosa serie de imágenes y sonidos abrumaron sus sentidos —especialmente el olor penetrante de las ofrendas quemadas que se elevaban al aire a través de los recintos del Templo. *Yonah* había estado en el Templo para las fiestas de peregrinación muchas veces cuando era niño, pero nunca se había quedado dentro del *Azarah*. Hoy fue diferente. Hoy, él era un joven sirviendo oficialmente en el sacerdocio real. El curso sacerdotal de *Yonah* reemplazó la división de la semana anterior. El jefe del curso dividió el *mishmar* de *Yonah* en seis "familias" o "clanes" llamados *Batai Av* (Casas de los Padres). Cada día de la semana, una familia llevaría a cabo los servicios de ese día. En *Shabbat*, todo el equipo servía juntos. El clan de *Yonah*, *Harim*, había sido elegido para servir el primer día de la semana: *Yom Rishon* [el primer día de la semana] o Domingo.

Yonah sintió que lo despertaban. Su colega *Sha'ul* susurró, "*Yonah*, despierta." Estaba completamente oscuro mientras luchaba por abrir los ojos. El primer sorteo del día comenzaría pronto en el *Beit HaMoked* (Casa del Fuego). Esta lotería incluía la preparación del *kior* (lavatorio) para el lavado ritual de manos y pies y la eliminación de las cenizas del día anterior del Gran Altar. Si él participaba en esta lotería, *Yonah* tendría que sumergirse y luego vestirse con sus ropas sacerdotales antes de que apareciera la primera luz del día.

El *Beit HaMoked* era un inmenso edificio de cuatro cámaras y cúpula en la esquina noroeste del *Azarah*. Los guardias del templo estaban estacionados allí, y sirvió como un dormitorio para la división semanal de *kohanim* (sacerdotes) que conducían los servicios diarios. Una cámara contenía escalones de piedra que sobresalían de las paredes interiores para formar plataformas más estrechas en el nivel superior y más ancho en la inferior. Estos "cubículos" compactos eran los dormitorios para los sacerdotes. Desde el interior de su pequeño cubículo en el nivel inferior del *Beit HaMoked*, *Yonah* observó que un oficial agarraba una argolla de plata sujeta a una pequeña escotilla incrustada en el suelo de mármol del edificio.

Cuando el anciano levantó lentamente la sección de mármol del piso, *Yonah* vio un juego de llaves colgando de una cadena unida al interior de la escotilla. Esa era su señal. *Yonah*, descalzo, bajó apresuradamente los escalones de piedra fría hacia el baño de inmersión, requerida para entrar en el *Azarah*. Cada kohen (sacerdote) que deseaba realizar los servicios se levantaba temprano para purificarse en las "aguas vivas" del *mikve* (baño de inmersión). *Yonah* se secó y calentó sus pies fríos junto a la fogata por el que *HaMoked* (fuego) fue nombrado. Escuchó fuertes golpes desde arriba, seguidos por una voz que retumbaba: "Quienquiera que se haya sumergido ahora, debe venir y participar del sorteo para determinar quién recogerá las cenizas del altar". *Yonah* volvió corriendo escaleras arriba para esperar la llegada del supervisor de la lotería. Escuchó al *g'vinay* (el promulgador del Templo) gritar: "¡Levántense! ¡Levántense sacerdotes y comiencen sus deberes! ¡Levitas, a su plataforma! ¡Israelitas, a sus estaciones!"

Dentro de la puerta principal del *Beit HaMoked* había otra puerta que daba acceso al *Azarah*. El anciano que había abierto la escotilla le entregaba las llaves a un oficial que luego abría la pequeña puerta. Otro sacerdote llevaba una antorcha para alumbrar el camino para los *kohanim* (sacerdotes) mientras le seguían detrás. Los *kohanim* se dividían en dos unidades para inspeccionar las noventa y tres vasijas del Templo en busca de impurezas. *Yonah* formaba parte del primer grupo. Él entró en el *Azarah* dirigiéndose al este siguiendo el pórtico que corría a lo largo de la pared interior. El segundo grupo giraba a la derecha para dirigirse al oeste. Descubrieron que ninguno de los vasos había sido alterado durante la noche. Los dos grupos finalmente se encontraron en la Cámara de *Havitim* donde los creadores de panqueques y los ofertantes de pan amasaban y horneaban las ofrendas diarias de comida. La unidad de *Yonah* llegó primero, su ruta fue un poco más corta. Una vez que ambos grupos llegaban a la cámara, todos los *kohanim* proclamaban en voz alta: "¡Paz! ¡Todo está en paz!"

El segundo sorteo tenía lugar en la Cámara de Piedra Tallada —sede del Gran Sanedrín. Esta lotería incluía el servicio de *Tamid* (ofrenda diaria), la eliminación del exceso de cenizas del altar de incienso dorado y el mantenimiento de la *menorá* (candelabro): la limpieza de las mechas y cenizas viejas de las copas de la *menorá* y el añadir aceite nuevo. *Yonah* contuvo el aliento. Había orado muchas veces por el honor de atender a la *menorá* dorada de siete *brazos*.

Trece diferentes asignaciones sacerdotales también formaban parte de este segundo sorteo. Los *kohanim* formaban un gran círculo. Un oficial del Templo se colocaba en el centro. Cuando se le preguntó a *Yonah* se quitó su turbante y se lo entregó al oficial, lo que significa que él era el punto de partida para el recuento. El oficial elegía un número más grande que los *kohanim* presentes, y cada sacerdote tendía uno o dos dedos. El capataz comenzaba a contar los dedos, comenzando con *Yonah*, dando vueltas y vueltas, "*echad, shnayim, shlosha...*" (uno, dos, tres...), hasta que el primer sacerdote era elegido. El segundo sacerdote, adyacente al primero, era asignado de recibir la sangre en el vaso sacrificial. El tercero eliminaría las cenizas del altar del incienso; *Sh'aul* fue elegido para ese deber. *Yonah*, cuarto en la fila, fue elegido para servir la *menorá* de oro. Aunque mantuvo sus emociones bajo control, secretamente se deleitó en esta notable oportunidad.

Cuando *Yonah* salió de la Cámara de la Piedra Tallada, vio a un sacerdote que subía al "pináculo" ubicado en la Puerta de la Chispa. Este sacerdote, llamado el "vigilante", era responsable de monitorear el ascenso del sol desde el horizonte oriental. *Yonah* sintió un escalofrío en el aire. Durante la noche, una densa niebla había llenado los valles que rodeaban a Jerusalén y se habían deslizado silenciosamente por los lados del Monte Moriá. Los primeros rayos del sol perforaron el aire cargado de humedad y revelaron un matiz de color del arco iris cruzando el valle. Le recordó a *Yonah* "la señal" dada a Noé después del diluvio, el arco que confirma el pacto eterno de Di-s con Su creación. Cientos de nubes comenzaron a despejarse, y la luz salió de las colinas de *Hebrón*. La columna de rocío se evaporó cuando el vigilante gritó desde el pináculo: "*¡Barchai!*" Los sacerdotes abajo esperaban su segundo anuncio," ¡Todo el horizonte oriental está iluminado!" *Yonah* escuchó a su colega llamarlo," ¿El resplandor se extiende hasta *Hebrón*?" "¡Sí! ", respondió el vigilante.

Yonah recordó a su padre hablando de un "Rey de los Judíos" que había nacido que había ascendido al pináculo de la Gran Puerta. Allí el diablo lo había seducido diciendo: "Si eres el Hijo de Di-s, ¡salta!" *Yonah* sabía que estaba muy lejos.

Un oficial del Templo ascendía los doce escalones ante el santuario. Se le encomendó la tarea de abrir el postigo norte de la Gran Puerta del santuario. El portillo del sur nunca se abrió, porque ningún hombre lo atravesó. La tradición sostiene que solo el *Nasi* (príncipe) con la llave de David podía entrar por esa puerta y salir de la misma manera. El profeta Ezequiel dijo: "Esta puerta se cerrará; no se abrirá porque Su Presencia lo ha atravesado" (Ezequiel 44:1-3; 46:1,2)

Juntos, *Yonah* y *Sha'ul* subieron los escalones del Templo llevando cuatro objetos entre ellos: una canasta de oro para las cenizas del altar de incienso, una jarra de oro en forma de copa de vino de gran tamaño para contener el residuo de la *menorá* y dos llaves. Después de pasar por la Gran Puerta, continuaron la pared interior del santuario hasta que encontraron una puerta dorada que estaba cerrada con llave. La cerradura exterior se abría de inmediato; pero la interior resultaba ser más difícil. Una vez que entraron, pasaron un estrecho pasadizo que conducía a otra cámara en la esquina noreste del Templo. En este momento, *Yonah* estaba completamente desorientado y estaba agradecido por *Sha'ul* quien estaba familiarizado con los giros y vueltas de los corredores internos del Templo.

Sha'ul entró primero al Lugar Santo. Dejó su canasta dorada frente al altar dorado de incienso y comenzó a remover la ceniza con sus manos, colocándola en el recipiente. Usó un cepillo pequeño para barrer las cenizas restantes. Completada su tarea, *Sha'ul* dejó la canasta en el suelo y salió del santuario. Esa fue la señal de *Yonah*. Inhaló profundamente, tragó hondo y, con gran solemnidad, se acercó a la *menorá* dorada. Se elevaba majestuosamente en el lado sur del Lugar Santo en una orientación este-oeste perpendicular al *parokhet* (velo). Seis ramas doradas orgullosamente se extendían diagonalmente hacia arriba desde un eje central. Las tres ramas en el oeste y las tres al este estaban conectadas a la lámpara del medio — con sus mechas apuntando hacia arriba.

Yonah comenzó la limpieza de las cinco lámparas, conocido como "mejorando las cinco llamas" o "aliñar las mechas." Él ascendió los tres escalones de mármol a la plataforma frente a la *menorá* que le permitían realizar el servicio al nivel de los ojos. Quitó cuidadosamente el exceso de aceite y limpió las cenizas y las mechas — colocándolas en el jarro dorado. *Yonah* repuso los cinco con aceite de oliva puramente prensado: medio agarradero. El *Ner Ma'arvi*, la lámpara occidental en el eje del medio, todavía estaba encendida. Se encendía cada tarde del fuego del Gran Altar. Una llama perpetua, se testificó que la *shekinah*, la Presencia Divina, era la luz. Se ha dicho que hasta la muerte del Sumo Sacerdote, *Shimon el Tzadik* (en la época de Alejandro el Grande), la lámpara occidental constantemente se mantenía encendida sin la necesidad de añadirle aceite adicional. Se consideraba un milagro; la llama mostraba la Presencia Divina morando "en medio" de Israel. *Yonah* aliñó la última lámpara que quedaba, tomó su jarra de oro y se unió a *Sha'ul* para deshacerse de los desperdicios en el suelo junto al Gran Altar.

Yonah reflexionó sobre el antiguo significado de la *menorá*: la sabiduría personificada como un Árbol de la Vida, la Luz del Mundo, y un árbol dorado que simbolizaba las grandes luces en los cielos. *Yonah* sabía que la *menorá* ocupaba el papel más central de todos los vasos sagrados. Era un símbolo de luz — la luz de la Presencia Divina — y representaba el Árbol de la Vida en el jardín: un árbol verde de belleza indescriptible cuyas flores goteaban con una fragancia celestial, ramas brillaban bermellón y hojas de fuego escondían el néctar de su fruto. El eje central de la *menorá* representaba el rey *Davídico* que dio vida al mundo entero desde el lugar donde convergieron el Cielo y la Tierra: el Templo. La *menorá* simbolizaba la Presencia Divina como un Árbol de Luz y un Árbol de Fuego con luz que irradiaba desde el jardín al mundo entero. Sostenido como un eco del *Brit Esh*, el Pacto de Fuego, visto por Moisés cuando estaba en tierra santa y vio una zarza que ardía pero se no se consumía. *Abraham* vio el mismo fuego divino encarnado en la antorcha encendida y el horno humeante mientras pasaban entre las mitades de los animales.

El sonido de las trompetas traspasó la ensoñación de *Yonah*. Se volvió para ver a los hombres de Israel postrándose — tendidos en el pavimento frío entre el pórtico y el altar. Los *kohanim* se colocaron en los doce escalones justo encima de los hombres. Lentamente, levantaron sus manos sobre sus cabezas y pronunciaron El NOMBRE mientras cantaban con tonos conmovedores y melodiosos la bendición Aarónica, *"Y'varecha Adonai, v'yish mirechah, yair Adonai, panev elichah, vichu necha."* (El Señor te bendiga y te guarde, el Señor haga que su rostro brille sobre ti.) Con eso, una bendición celestial caía como rocío sobre la gente, y eran revividos.

Arboles En El Centro Sagrado

En el lugar donde nació la creación, dos árboles brotaron de terrones de tierra húmedos. Los brotes hinchados florecieron produciendo hojas verdes brillantes con fruta deliciosa. Crecieron hasta que sus baldaquines se elevaron sobre el santuario del jardín; gruesas ramas alcanzaron los cielos y sus raíces se hundieron profundamente en el suelo. En el centro sagrado, en la encrucijada del universo, los árboles extendían sus extremidades hacia las cuatro esquinas de la Tierra. Sirvieron como pilares que sostenían tanto los cielos arriba como la tierra abajo y encarnaban la unidad del Cielo y la Tierra. A lo largo de las orillas del río Edén, otros árboles daban frutos que producían alimento cada mes. Llenos de las semillas del Espíritu, su fruto producía amor, alegría, paz, paciencia, bondad, gentileza, amabilidad, fidelidad y dominio propio para proporcionar sanidad y restauración a las naciones.

✡ ✡ ✡

Estos elementos arbóreos son quizás los símbolos más reconocibles en la Biblia (Algunos estudiosos han sugerido que solo había un árbol). A lo largo de los siglos, se han propuesto muchas teorías sobre su significado. Al explicar la elección de un árbol para representar los conceptos de la vida, la Tierra y el Cielo en las culturas antiguas, Terje Stordalen escribió: "Todo árbol verde simbolizaría la vida y un gran árbol —enraizado en el suelo profundo que se extendería hacia el cielo — potencialmente es un símbolo cósmico". Lundquist explica que el Templo, como árbol cósmico, también "originado en el inframundo, se encuentra en la tierra como un 'lugar de reunión' y, sin embargo, se eleva [arquitectónicamente] a los cielos y da acceso a los cielos a través de sus rituales" (2002:675).

En el AMO, un gran árbol se encontraba en el centro del mundo y se lo conocía como un árbol de la vida. El árbol simbolizaba el orden divino y representaba a los reyes." Sus raíces [eran] alimentadas por el gran océano subterráneo y su cima [unido] con las nubes y así [se unían] los cielos, la tierra y el inframundo" (Walton 2006:75-76). Michael Fishbane en su artículo, "The Symbolism of the Sacred Center" describe el jardín como el *axis mundi* y que de él irradiaban corrientes primarias a las cuatro esquinas de la tierra. "Era y es el centro, o el punto medio, y el Árbol de la Vida se encontraba en el centro de este centro". Considerado como la morada de la deidad residente, se pensó que el árbol sagrado en el AMO se basaba en lo divino a través de sus raíces y así siempre estuvo asociado con el agua, como el Manantial Gijón. El sabio, que se deleita en la Torá de Di-s, se compara con un árbol trasplantado en canales de agua, produciendo fruto en temporada, brotando hojas que nunca se marchitan y teniendo éxito en todo lo que hace (Salmo 1:2,3).

Los árboles simbolizaban la divinidad. Eran considerados como oráculos, vehículos de conocimiento y sabiduría, a través de los cuales se comunicaba lo divino (George and George 2014:144). Los árboles se asociaron a menudo con diosas como Isis, Nut, Asherah o Ishtar — así como el dios moribundo o ascendente que representaba el ciclo de las estaciones (148). La *menorá* (sustantivo femenino) era un árbol estilizado que funcionaba de la misma manera. Algunos sugieren que el Árbol de la Vida era un almendro con la *menorá* como símbolo. Según una leyenda, el profeta Zacarías recibió la visión de un hombre "parado entre los árboles del Tabernáculo" basado en los paneles, los pilares y los *menorot* de la sala principal. "En medio de los *menorot*, vi a Uno como un Hijo del Hombre, vestido con una túnica hasta los pies, con un cinturón de oro envuelto alrededor de su pecho" (Revelación 1:13) podría referirse al rey-sacerdote (Salomón) en la Casa del Bosque del

Líbano (vea abajo) en el Primer Templo y Adán en el jardín.

Rashi dijo que el Árbol del Conocimiento era una higuera; el Arca de la Alianza era su símbolo. "El Árbol del Conocimiento del Bien y del Mal representaba el *axis mundi* y, como tal, era el eslabón para que los humanos accedieran a la divinidad" (George and George 2014:120). Los dos grandes pilares que conducían al Primer Templo estaban adornados con lirios y estaban decorados como dos grandes árboles cubiertos con doscientas granadas cada uno (1 Reyes 7:19,20). Con el tiempo, el árbol sagrado evolucionó en muchas otras formas: columnas, pilares, piedras, torres, altares, enredaderas, tallos, escaleras, cetros y finalmente la propia cruz. La arquitectura moderna captura un tema similar con sus edificios del capitolio, palacios, monumentos, rascacielos, minaretes, capiteles y campanarios.

El santuario del jardín, ubicado al este en Edén, estaba lleno de innumerables variedades de árboles, que recuerdan a los jardines de los reyes en el AMO. De pie en los escalones de la entrada a este estilizado bosque del Templo, un devoto bien podría inspirarse en las representaciones de árboles en piedras preciosas, corales, conchas marinas y bronce brillante y cobre (S.D. Dalley). El Lugar Santo en el Primer Templo estaba enmarcado con vigas de cedro, luego revestidas con madera de cedro tallada y recubiertas con oro. "El hombre justo florece como una palmera datilera, crece alto como un cedro en el Líbano, es plantado en la casa del Señor, donde florecen en los atrios de nuestro Di-s" (Salmo 92:13,14). Los cedros del Líbano, madera preciada para la construcción de palacios y templos en el AMO, eran notablemente de larga vida (más de 1000 años). Una de las razones por las que un nuevo rey comenzaba las campañas militares en la región era para tomar el control de los bosques de cedros en el Líbano (el único gran cementerio) para usarse en la construcción de su palacio y templo (Matthews 2002: 20). Los cedros en la Biblia simbolizaban fortaleza, resistencia, riqueza y longevidad para el rey gobernante.

Plantaré el desierto con cedros, acacias, arrayanes y olivos; en el desierto pondré cipreses junto con olmos y alerces." Entonces el pueblo verá y conocerá, juntos observarán y entenderán que la mano de *Adonai* ha hecho estas obras, y que el Santo de Israel lo ha expuesto.

(ISAÍAS 41:19,20)

Los Cedros del Líbano usados para construir el palacio de Salomón también proporcionaron los pilares de la Casa del Bosque del Líbano. Adyacente a su complejo real, el rey Salomón construyó una casa forestal de paredes rectangulares con paredes de piedra para almacenar la armadura. Durante el reinado de su hijo Roboam, Sisac (rey de Egipto), se llevó la armadura de la Cámara del Bosque. El rey Roboam más tarde reemplazó los escudos de cobre (1 Reyes 14:25-28; 2 Crónicas 12:9-11)."Expondrá la defensa de Judá, y en ese día, buscarás la armadura en la Casa del Bosque" (Isaías 22:8). La armería fue diseñada con cuatro filas (tres filas según la Septuaginta) de pilares de cedro, vigas de cedro dispuestas sobre los cuarenta y cinco pilares y paneles de cedro sobre las vigas (1 Reyes 7:2-4). El salón contenía quinientos escudos grandes y pequeños de oro batido (2 Crónicas 9:15,16). Algunos han sugerido que se trajeron cedros vivos para darle a la sala su olor a bosque. "Así como el bosque es fructífero y se multiplica, aun así el santuario, todo lo que había en él fue fructífero y se multiplicó" (Patai 1967: 90). Se ha sugerido que la Casa del Bosque del Líbano sigue el diseño tripartito del Templo, ya que el Salón de los Pilares correspondía al Pórtico, la cámara del bosque al Lugar Santo (el jardín) y el Salón del Juicio al Santo de los Santos (Edén).

Una descripción de una "ventana opuesta a la ventana en tres niveles", ha llevado a algunos estudiosos a especular que Salomón creó una ilusión óptica para dar a sus visitantes la sensación de entrar en un bosque en lugar de una sala con columnas. Para producir este efecto, Salomón pudo haber incluido algunas docenas de árboles vivos. "Fue el uso de espejos enfrentados en ambos extremos de cada uno de los 'pasajes transparentes' que dieron al visitante la ilusión de estar en un bosque infinito: los árboles se reflejaban interminablemente en los espejos opuestos" (Hareuveni 1984: 103).

✡   ✡   ✡

Los reyes de Judá, así como los reyes de Israel, a menudo se comparaban con grandes cedros por su orgullo y arrogancia. Ezequiel se refirió al malvado hijo de Joacim como la "cima" del cedro. Jeremías también criticó al rey Joacim por sus extravagantes proyectos construidos sobre las espaldas del pueblo. "¡Construiré una casa grande con habitaciones espaciosas y cortaré mis ventanas, y la revestiré con cedro y la pintaré con bermellón! *Adonaí* respondió: '¿Te hiciste rey solo para luchar con el cedro?' "(Jeremías 22:13-17).

Faraón y el rey de Asiria también fueron comparados con cedros, que fueron cortados por su arrogancia.

"Hijo de hombre, di a Faraón rey de Egipto y a sus hordas: '¿A quién te pareces en tu grandeza? Como Asiria, un cedro del Lebanon. Tenía ramas hermosas, follaje denso, su copa rodeada de ramas con retoños. El agua lo nutría; la profundidad lo hizo crecer, mandado sus ríos al lugar donde estaba plantado, mandando sus arroyos a todos los árboles en los campos. Así que creció más alto que cualquier otro árbol, sus ramas crecieron en número y se extendieron a lo lejos y a lo ancho, pues tenía mucha agua para hacerlas crecer. En su copa todas las aves del aire hacían sus nidos, debajo de sus ramas todos los animales salvajes parían a sus pequeños, y todas las grandes naciones vivían bajo su sombra. Era hermoso en su grandeza y el tamaño de sus ramas, porque sus raíces descendían a mucha agua. Ningún cedro en el jardín de Di-s era como éste, ningún ciprés se comparaba con sus ramas, ningún castaño era rival para sus ramas, ningún árbol en el jardín de Di-s podía igualar su hermosura.

(EZEQUIEL 31:2-8)

"*Adonaí* dice: 'Desde el cogollo de este alto cedro, desde su más alta rama, yo tomaré un retoño y lo plantaré, Yo mismo en una montaña alta y prominente. Yo lo plantaré en la montaña más alta en Israel, donde crecerán sus ramas, y dará fruto, y se hará un cedro noble. Debajo de él vivirán todo tipo de aves; criaturas con alas de toda descripción vivirán allí bajo la sombra de sus ramas. Entonces todos los árboles del campo sabrán que Yo, *Adonaí*, echo abajo el árbol alto y levanto el árbol chico, marchito al árbol verde y hago que el árbol marchito dé fruto. Yo, *Adonaí*, he hablado; y Yo lo haré.'"

(EZEQUIEL 17:22-24)

Simbólicamente, los árboles representaban a sacerdotes y reyes cuya vocación significaba cultivar el jardín. Como justos portadores de la imagen divina, estos árboles darían fruto y crearían sombra (soberanía) para que el mundo los disfrute. "Como un manzano entre los árboles del bosque, así es mi amante entre los hijos. En su sombra, me deleité en sentarme, y su fruto fue dulce para mi gusto "(Cantar de los Cantares 2:3). En los Rollos del Mar Muerto, la comunidad de Cumrán se compara con un árbol edénico:

Su brote crece en las ramas de la plantación eterna y su sombra se extiende por toda la tierra, su cima llega al cielo, los ríos del Edén la riegan para que se convierta en un bosque que se extiende por el mundo sin fin, una fuente de luz y Llamas brillantes.

(1 QH 6:12-19)

"El nuevo árbol del Edén crecerá sus ramas sobre todo el globo y su sombra se extenderá hasta que la tierra se encuentre bajo un tabernáculo arbóreo masivo" (Beale 2004:156-158). "Toda la tierra se convertirá en Edén: después de todo el pecado se ha extinguido de la tierra" (157n). La comisión de ser fructífero y multiplicarse y llenar la tierra comenzó en el santuario del jardín. Juan describe la "nueva creación" en Revelación como un santuario edénico gigante (Revelación 21).

Mi corazón fue podado y apareció su flor... y produjo frutos para el Señor. Y desde arriba me dio descanso inmortal; y me volví como la tierra que florece y se regocija en sus frutos... y él me llevó al Paraíso... Contemplé árboles florecientes y frutales... sus ramas florecían y sus frutos brillaban. Y quienes crecen en el crecimiento de tus árboles, y han pasado de la oscuridad a la luz.

(ODAS DE SOLOMÓN 11-12)

Cuando los discípulos llegaron a Betsaida, la gente del pueblo trajo a un ciego a *Yeshúa*. "Tomó al hombre de la mano y lo condujo fuera de la aldea. Después de escupir en los ojos del hombre y ponerle las manos encima, *Yeshúa* preguntó: "¿Ves algo?" El ciego levantó la vista y dijo: "¡Veo hombres! Parecen árboles caminando por ahí.' *Yeshúa* puso sus manos en los ojos del hombre otra vez. El hombre miró intensamente, su vista fue restaurada, y comenzó a ver todo claramente "(Marcos 8:22-25). Los detalles que rodean este milagro parecen extraños, pero la saliva se consideró un tratamiento válido para la ceguera debido a sus propiedades curativas. Además, "[hay] una tradición de que la saliva del primogénito de un padre es sanidad" (BT Baba *Batra* 126b).

¿Qué vio el hombre? ¡Árboles caminando! Vio una visión del santuario del jardín lleno de árboles. Era el Lugar Santo en el Templo donde servían los sacerdotes, que se asemejaban a "árboles vivos respirando". En el ámbito natural, la entrada estaba prohibida para todos excepto el sacerdocio levítico y especialmente prohibido para aquellos con un defecto como la ceguera. Los ojos del ciego se abrieron y, sin embargo, él no había muerto. Tenía los ojos abiertos y no estaba desnudo ni asustado. Tenía los ojos abiertos, y no tenía necesidad de esconderse "en medio" de los árboles lejos de la Presencia de Di-s. Él había venido "cara a cara" con *Yeshúa*, el que estableció el Reino de los Cielos en la Tierra, y fue recibido con amor y compasión.

No es sorprendente, por lo tanto, que el Reino/Templo en la Tierra fuera inaugurado de un árbol. Pedro escribió: "Lo mataron colgándolo en un árbol, pero Dios lo resucitó al tercer día y lo hizo visible, no a todas las personas, sino a nosotros, testigos que fueron elegidos de antemano por Dios" (Hechos 1:39-41a). Estos testigos compartieron una comida de pacto con el Mesías que confirmó que eran una nueva creación: "Comimos y bebimos con él después de que resucitó de entre los muertos. Y nos ordenó que proclamáramos a la gente y testifiquemos que él es el que Dios ha ordenado como juez de los vivos y de los muertos... que todo el que confía en él recibe el perdón de los pecados por su nombre "(41b).

¿Por Què Árboles?

En el AMO, una imagen de la deidad se colocaba dentro del templo local. El rey personificaba al dios como su representante vivo en la tierra. Desde el trono, el rey garantizaba la estabilidad en el ámbito político y social en nombre del dios. Si el rey estaba ausente, quizás peleando en una guerra en el extranjero, entonces un ídolo cortado de un árbol, cincelado de piedra, o dorado con metales preciosos era colocado en el templo para representar al rey, pero con el rostro del dios. Esto probablemente explica el incidente del becerro de oro en el que Aarón hizo un becerro fundido y lo modeló con una herramienta de cincelar. El pueblo se quejó de que no sabían qué había sido de su "rey" Moisés. "Cuando el pueblo vio que Moisés demoraba en descender la montaña (un templo), se reunieron alrededor de Aarón y le dijeron: 'Levántate, haznos dioses que vayan delante de nosotros'" (Éxodo 32:1).

En Israel, el representante de Di-s, el rey, no captaba sus rasgos físicos, sino "los aspectos de la apariencia del rey que habían sido moldeados por los dioses y que se asemejaban a los dioses, de modo que las características del gobernante transmitían cualidades del ideal , el gobierno divinamente sancionado, no solo la persona" (Walton 2009:21). Di-s colocó (descansó) su rey portador de Su imagen en el jardín como el ideal funcional. Como el representante humano/rey de la Presencia de Di-s, Adán debía expandir el Reino hacia el exterior, mantener el orden y la estabilidad mediante actos de servicio sacerdotal, y preservar la unidad del pacto entre el Cielo y la Tierra.

Una parábola sobre árboles del libro de Jueces (capitulo 9) hace eco de este tema. Después del exitoso ataque de Gedeón contra los madianitas, los ancianos de Israel le ofrecieron la gobernación de Israel. Gedeón respondió: "No te gobernaré, ni mi hijo gobernará sobre ti; el Señor se enseñoreará de ti" (Jueces 8:21-23 NVI). La responsabilidad de gobernar a Israel se transmitió a los setenta hijos de Gedeón. *Abimélec* (mi padre es el rey), el hijo ilegítimo, se declaró rey después de matar a los setenta hijos. Solo Jotán, el más joven, escapó.

Aunque la identidad de los árboles en Jueces (capitulo 9) probablemente estaba vinculada a jueces específicos de ese período, hay un significado más profundo relacionado con Israel. El olivo representaba al rey David, la higuera el rey Saúl y la vid, el rey Salomón. Cada uno gobernó cuarenta años sobre Israel, un número asociado con el mundo natural. Por el contrario, la zarza o arbusto espinoso, que era *Abimélec*, el enemigo interior, representaba a las elites gobernantes del Templo que continuamente oprimían a la gente. En última instancia, fueron los responsables del exilio de la nación y de la tierra devorada por los enemigos de Israel.

✡   ✡   ✡

Los sabios conectaron el jardín con el Templo porque fue construido con cedros del Líbano. "Y cuando los gentiles entraron al Santuario, el árbol de oro se secó y se marchitaron las flores del Líbano" (Nahum1:4). "Y el Santo, bendito sea Él, restaurará los árboles milagrosos a Israel en el futuro. Florecerán abundantemente, se regocijarán y gritarán, se le dará la gloria del Líbano"

(BT *Yoma* 21B).

Aliñar las mechas de la *menorá*, presentar el pan y asistir al altar del incienso eran tareas cotidianas de los sacerdotes. Estaban rodeados por la majestad, el esplendor y la santidad del entorno del Templo mientras realizaban los servicios. En el período del Segundo Templo, sin embargo, algunos de los principales sacerdotes saduceos no pudieron apreciar el glorioso entorno en el que sirvieron, probablemente olvidando incluso el propósito de su vocación celestial. *Yeshúa* criticó y denunció a estas autoridades gobernantes por convertir el espacio sagrado en su feudo personal para controlar al pueblo. Criticó a los líderes del Templo, a menudo de manera críptica, por no haber llevado la justicia y la misericordia a la nación y por haber contaminado el santuario. *Yeshúa* los acusó de ser guías ciegos guiando ovejas ciegas y erigiendo obstáculos que impedían que los pobres, los oprimidos y los afligidos se "acercaran" al Reino. Algunos de los principales sacerdotes se promovían continuamente entre los hombres al tomar el lugar de honor en las fiestas y al acaparar los mejores asientos en las sinagogas (Mateo 23) mientras descuidaban a los verdaderamente necesitados.

Di-s plantó Su jardín y lo llenó de árboles frutales para representar a los seres humanos. Deseó que sus "justos" portadores de Su imagen florecieran como palmeras datileras y cedros y dieran fruto en la vejez mientras mantenían la justicia de Di-s en el mundo. "Bienaventurado el que confía en *Adonai*, cuya confianza está en *Adonai*. Porque él será como un árbol plantado junto a las aguas, y echará raíces junto a un arroyo" (Jeremías 17:7,8). Con el lanzamiento del Reino de *Yeshúa*, se abrieron los ojos de los ciegos, los sordos pudieron oír, y los que fueron traídos se levantaron. Consoló a los que estaban de luto en Zión con el aceite de la alegría y con la ropa de alabanza, por lo que fueron llamados "árboles de justicia" y la plantación del Señor (Isaías 61:3).

CAPÍTULO TRES

EL CAMPO

Tú has visitado la tierra y la has saturado,
la enriqueces grandemente. El río de Di-s, lleno
de agua, los provees con grano y preparas la tierra.
Haces que se empapen los surcos asentando el suelo,
lo suavizas con lluvias y bendices su crecimiento.

(Salmo 65:9,10)

La Novia

En el principio, Di-s cortó un pacto con el Cielo y la Tierra y los unió en matrimonio. Los Cielos representaban al novio y la Tierra a la novia. Su unión formó la Casa Cósmica de Di-s, y desde el útero de la tierra (las culturas antiguas creían que el útero era igual a un santuario) la semilla de la creación brotó. "Él [el ángel] me dijo: así he dado el vientre de la tierra a los que de tanto en tanto se siembran en él" (2 Esdras 5.48). La casa era *kallah* (es decir, completa o una novia que completa a su esposo) junto con toda su colección (Génesis 2:1). En el Séptimo Día, la Casa santificada se desbordó con la Presencia de Di-s y produjo fruto. "Estos son los *toldot* (genealogía: de la raíz que significa dar a luz o tener hijos) de los cielos y de la tierra cuando fueron creados" (Génesis 2:4).

Di-s formó al hombre a la imagen de un mundo pequeño y ordenado: un cosmos en miniatura. El hombre se convirtió en un ser vivo, masculino y femenino, en la imagen de Di-s. Di-s "tomó" a una mujer del *tsel* del hombre (sombra o imagen) y *banah* (la incorporó) a Su gran Casa. El hombre y su esposa expresaron fidelidad a Di-s al cultivar Su jardín santuario y al extender Su gloria a las cuatro esquinas de la Tierra. En la Tierra, la mujer era la representación visible del Tabernáculo celestial: "Jerusalén está libre en lo alto, que es nuestra madre" (Gálatas 4:26). Llamada Jerusalén, así como la *bat Tziyon*, la virgen hija de Zión, la mujer tipificaba la casa de Di-s "Ven, te mostraré a la novia, la esposa del Cordero". Luego me llevó en el *Ruach* (espíritu) a una montaña grande y alta y me mostró la ciudad santa, Jerusalén [la novia] descendiendo del cielo desde Di-s, teniendo la gloria de Di-s-su resplandor era como la piedra más preciosa, como un jaspe, y centelleante como el cristal" (Revelación 21:10,11).

Cantar de los Cantares describe a la novia y amada de Di-s como su jardín: "un jardín cerrado es mi hermana, mi novia, una fuente cerrada, una fuente sellada. Tus retoños son un huerto de granadas con frutas selectas... con todos los árboles de incienso, mirra y áloes, junto con todas las especias más finas: un manantial de jardín, un pozo de agua viva y arroyos fluyentes del Líbano" (Cantares 4:12-15). Di-s es el novio que disfruta su jardín: "En cambio, serás llamado, 'Mi Deleite está en Ella' y tu tierra 'Casado'. Porque como un joven se casa con una virgen, tus hijos se casarán contigo" (Isaías 62:5). Los sabios han sugerido que Cantar de los Cantares habla tanto del Santo de los Santos en el Templo como del Arca de la Alianza como el diván. El arca es un asiento ambulante, el trono portátil de Di-s, que descansa en medio del pueblo.

¿Quién es esta mujer, subiendo del desierto como una columna de humo, perfumada con mirra e incienso, escogidos de entre las especias machacadas del mercader? Es la litera de Salomón, escoltada por sesenta hombres valientes escogidos de entre lo mejor de Israel; todos ellos portan la espada y son expertos guerreros; cada uno tiene su espada lista a su costado para combatir los terrores de la noche. El rey Salomón se hizo una litera real de madera del Lebanon. Él hizo sus columnas de plata, su techo de oro, su asiento de tela de púrpura; su interior hermosamente repujado por las hijas de Jerusalén.

(CANTAR DE LOS CANTARES 3:6-10)

En Cantar de los Cantares, el Templo se compara con la novia de Salomón que estaba siendo preparada para el día de su boda. Ella es una joven hija virgen — un templo bellamente decorado. Sus mejillas están adornadas con luz y su cuello muestra una cadena de cuentas luminiscentes. En sus brazos cuelgan adornos de oro y lentejuelas de plata (Cantares 1:10, 11). La novia es morena y hermosa — mostrando su piel oscurecida por el sol que se asemeja a las pieles que cubren las tiendas de Kedar (Cantares 1:5). Salomón escribió: "Ha venido a mi jardín, mi hermana, mi novia" (Cantares 5:1) y "Eres hermosa mi amor, como Tirza, hermosa como Jerusalén" (Cantares 6:4). Su Novia también era el Tabernáculo, como un santuario en el desierto — el lugar donde Di-s habitaba en medio de su pueblo. "¡Cuán hermosas son tus tiendas, oh Jacob, y tus moradas, oh Israel! Como valles, se extienden, como jardines junto a un río, como áloes plantados por *Adonai*, como cedros junto a las aguas" (Números 24:5, 6). Cuando el rey se sentó en su asiento, observó vigas de cedro y paneles de madera de ciprés (Cantares 1:17).

De la simiente de Israel, un inmenso cedro se convirtió en el rey divino que extendió su dosel sobre el mundo entero. Una señal del cielo dada al rey Ajaz habló de su hijo, Ezequías —el que se profetizó que limpiaría, reconstruiría y restauraria el templo, así como darle continuidad a la dinastía del rey David. (Algunos han sugerido que la profecía del hijo nacido de la joven doncella fue el primogénito de Isaías. El contexto revela que fue Ezequías, quien nació en Ajaz, rey de Judá, el rey que descuidó el Templo y permitió que cayera en mal estado). La virgen concebiría y daría a luz un hijo y "ella [llamaría] su nombre Emanuel— Dios con nosotros" (Isaías 7:14). (En AMO las mujeres nombraban a sus hijos, excepto en el caso de la adopción). "Porque nos ha nacido un niño, un hijo nos será dado y el gobierno estará sobre su hombro... Del aumento de su gobierno y de su *shalom*, no habrá fin — en el trono de David y sobre su Reino — para establecerlo y sostenerlo a través de la justicia y rectitud desde ahora hasta siempre" (Isaías 9:6,7). Los Evangelios hablan de un niño, nacido de una virgen, que estaba envuelto en tiras de tela y puesto en un pesebre. La señal cumplida es la siguiente: la hija de Zión, la Santa Casa de Di-s, dio a luz al niño que construiría la dinastía de David. El libro de Revelación habla de una mujer vestida del sol, con la luna bajo sus pies y una corona de doce estrellas en su cabeza. Está embarazada — gimiendo en agonía con dolores de parto (12:1.2). En el primer siglo, esta mujer era la madre de *Yeshúa*, *Miriam* (María).

El destino de la simiente real comenzó con *Chavah*. Como la primera "casa", ella produjo la línea de sacerdotes-reyes que gobernarían el Reino en la Tierra. El libro apócrifo de Esdras, sin embargo, sugiere que cada generación sucesiva disminuye en estatura, al igual que las mujeres envejecen y se vuelven estériles. "Como el útero falló en la vejez, así también la creación envejece y pasa la fuerza de la juventud" (2 Esdras 5:51-55). Cuando Sara dio a luz a *Isaac*, mucho más allá de sus años fértiles, ¡el Reino estaba dando fruto y revelando una nueva creación! *Isaac*, su hijo, "aumentó" en fuerza y estatura, y su simiente numeró las estrellas en el cielo. *Isaac* es un tipo y sombra de *Yeshúa* que siguió aumentando en sabiduría, estatura y en favor de Di-s y los hombres (Lucas 2:52). El nacimiento del Rey, el Mesías, comenzó una reversión de la decadencia en el mundo natural y una restauración del orden creado.

La Biblia se enfoca en la línea real de los reyes-sacerdotes de Di-s y en la construcción de la dinastía de la Casa de David. Las *toldot* [generaciones] de los cielos y la tierra que comenzó con Adán, el Hijo de Di-s y el rey-sacerdote, continuó a Noé a través del hijo de Adán, Set, y del hijo de Noé, Sem, a *Abraham*. La simiente pasó de *Abraham* por medio de Amram a Moisés, de Boaz al Rey David, y finalmente a *Yeshúa* el Mesías. *Yeshúa* restauró la monarquía después de que había sido cortada (con el Rey Joacim: Jeremías 22:30) y reconstruyó el Templo (Su cuerpo), que luego se llenó con la Presencia de Di-s (Lucas 3:23-38). "He aquí, la morada de Di-s está entre los hombres, y él será el tabernáculo entre ellos. Ellos serán Su pueblo [novia] y Di-s mismo estará entre ellos y será su Di-s [novio]" (Revelación 21:3).

El Novio

Di-s pasó su vocación de maestro jardinero a Adán, el humano. En las ceremonias de matrimonio sagrado del mundo antiguo, el "jardinero" era el epíteto dado a los hombres que se convirtieron en reyes. Sargón 1, por ejemplo, como el hijo de un rey y una gran sacerdotisa, se convirtió en el jardinero real. Era considerado como el "granjero arrendatario" de Asiria — lo que significaba que era el jefe en servir a los dioses dentro del santuario sagrado y en organizar el servicio de los sacerdotes. Considere la Parábola de los Labradores Malvados (Mateo 21:33-46). Di-s era el propietario original, y Sus labradores eran la élite religiosa que supervisaba el Templo y sus alrededores. El hijo "amado" de Di-s (véase el capítulo 4), el Mesías, fue el sucesor legítimo, el heredero legítimo y el granjero arren-datario que supervisó el servicio de los sacerdotes en el espacio sagrado.

El servicio sacerdotal de Adán encontró satisfacción en su parentesco con la *adamah*, la tierra. El portador de la imagen tenía que construir la dinastía a través de labor fructífera para producir bendición y abundancia y cultivar relaciones al dispersar y cosechar semillas. "La identidad de la humanidad está ligada al juego de palabras notables: el *adam* y la *adamah*" (Brown 7 pillars 81). Ambas palabras vienen de la raíz, *dam*, es decir, sangre. La humanidad es la posesión más querida de Di-s. Israel en Canaán fue paralelo a la vocación de Adán en el jardín. Al igual que el jardinero jefe, Israel prometió preservar la semilla y gobernar el santuario a través de la justicia y rectitud. Transgredir la Ley significaba el destierro del Templo, ya que Adán había sido desterrado del jardín. El exilio de Israel permitió que el espacio sagrado se sanase de la contaminación del pecado y los efectos causados por la enfermedad de la idolatría.

Caín, el hijo primogénito de Adán, heredó de su padre la vocación de sacerdote-rey de jardinería. Él trajo el fruto de la tierra al altar como era requerido, pero un espíritu de celos lo llevó a asesinar a su hermano, Abel. Di-s le dijo: "La voz de las sangres de tu hermano (plural) me está clamando desde la (*adamah*) tierra" (Génesis 4:10). Se establece una conexión entre la tierra y la sangre. Caín sufrió una maldición, y la tierra se partió; abrió su boca para recibir la sangre de Abel (Génesis 4). G.K. Beale señala que cada vez que se menciona un terremoto, "denota el caos entre [la caída de] un reino y [el surgimiento de] otro" (Beale and Carson 2007:1105). El juicio cayó sobre Caín, el siguiente en línea para ser rey; su "parentesco" con la tierra fue cortado permanentemente, y su simiente real fue cortada. La tierra nunca volvería a producir cultivos para él, un patrón que se estableció para todos los reyes que violaron los mandamientos de Di-s.

La vocación de Adán incluía preservar la semilla, bendecir la tierra y sojuzgar la tierra bajo la autoridad de Di-s. Como portador de la imagen sacerdotal, la mayordomía de Adán también significaba expandir el Reino a través de la semilla para cubrir la tierra. "Este objetivo debía ser alcanzado por el vice-regente humano de su [Di-s] quien lo instaló en el santuario del jardín para extender los límites del jardín de la Presencia de Di-s en todo el mundo" (Beale 2008:137). La imagen real colocada en el escenario del santuario, Adán en este caso, fue un concepto antiguo que se encontró incluso fuera de Israel (129). La imagen de Di-s se reveló cada vez más a medida que la semilla dinástica de Adán proliferaba en la tierra bajo el recto gobierno de un rey benévolo. Por el contrario, los reyes conquistados del AMO; devastaron y saquearon tierras, destruyeron enemigos y mantuvieron su poder a través de la fuerza. Ellos gobernaron como autócratas y dictadores; esclavizaron a las personas al controlar la producción de alimentos, bienes y servicios.

El patrón se repite con José, hijo de Jacob, quien a los treinta años se convirtió en Vice regente de Egipto. Interpretó los sueños de Faraón —muy inusual ya que Faraón, era considerado un dios, siempre podía interpretarlos él mismo. José, resucitado del pozo como Adán del polvo, sometió a la tierra y ejerció su vocación como jefe de jardineros. Él conservó y extendió el grano de la semilla durante la hambruna. El resto de los hijos de Jacob trabajaron como pastores. Finalmente se unieron a José en Egipto, donde establecieron las tierras de pastoreo de Gosén.

Nombrado Superintendente del Granero de Egipto, José se hizo cargo de la producción de alimentos. Recolectó semillas durante los siete años de abundancia y almacenó el grano en las ciudades proveedoras "como la arena del mar". Antes de que comenzara la hambruna de siete años, dos hijos le nacieron a José; el más joven era Efraín, que significa "Di-s me ha hecho fructificar en la tierra de mi opresión". El mayor era Manasés, que significa "hacer olvidar". Ambos fueron adoptados en la dinastía de Israel. Efraín, sin embargo, recibió la doble herencia; su territorio tribal incluía las ciudades capitales y las familias reales del Reino del Norte (también llamado Samaria, Israel y Efraín).

El grano de trigo se convirtió en una metáfora del justo Israel. Israel fue *kadosh* (santo) para *Adonaí*—la *reisheet* (primicia) del aumento o producto de la era, el lagar y la viña. Israel era la semilla en expansión que preservaría el mundo. La familia de Jacob se unió en Egipto durante la hambruna que permitió a Israel fructificar fuera de la "tierra". Se convirtieron en una poderosa "casa" en Egipto, produciendo descendencia como la arena en la orilla del mar. La familia creció de setenta a más de 600,000. Pero, desafortunadamente, nunca eliminaron la idolatría detestable de su medio —un patrón que se repetiría.

Yeshúa comenzó su ministerio público a los treinta años—y coronado como rey en su inmersión (Lucas 3:23). Lucas (capitulo 4) describe su linaje real: del hijo de José, el hijo de Heli, de vuelta a Adán, "hijo de Di-s"—un título del AMO para el Rey. En lugar de ser elevado a su posición de la tierra o de la fosa (como Adán y José), *Yeshúa* fue *levantado* fuera del agua, ya que el *Ruach HaKodesh* (Espíritu Santo) descendió sobre él en forma corporal, como una paloma. Del cielo se oyó una voz que decía: "Tú eres mi Hijo, a quien amo — ¡en quien tengo complacencia!" Este es el lenguaje del AMO para un hijo que recibe la herencia real, siendo adoptado oficialmente como Hijo de Di-s, y llegando a ser rey (ver el capítulo 4).

Yeshúa aumentó en sabiduría y estatura. Él expandió el Reino a través de la semilla, la Palabra de Di-s, tal como lo hizo José. Una parábola explica: "Sin embargo, la semilla sembrada en buena tierra, es el que oye el mensaje y lo entiende; dicha persona seguramente dará buen fruto, cien, sesenta, treinta veces más de lo que se sembró" (Mateo 13:23). ¿Cuál es el significado de estos números? Se relacionan con la dinastía de toda la Casa de Israel. A los cien años de edad, *Isaac* nació para *Abraham*. A los sesenta años, Jacob nació para *Isaac*, y a los treinta, Efraín nació para José. También a los treinta años, *Yeshúa* nació de nuevo y fue elevado para gobernar el Reino de los Cielos.

Después de la resurrección de *Yeshúa*, la línea real pasó a sus discípulos quienes eran un "Reino de sacerdotes" y un "real sacerdocio" que reinaba en la tierra (Revelación 5:10). Eran los nuevos portadores de imágenes de la creación que difundieron la imagen de Di-s sobre la tierra y reflejaron las alabanzas de Di-s a la creación. Su semilla se multiplicó y aumentó, y llenó al mundo con sabiduría, conocimiento y entendimiento. Nacidos de nuevo a la imagen del Mesías, los futuros discípulos se convertirían en un nuevo templo lleno de la Presencia de Di-s. Debían ejercer la justicia y la rectitud como reyes; y como sacerdotes, debían traer sanidad, liberación y libertad para los cautivos atados por cadenas.

La historia Midráshica continúa. Adán y *Chava* fueron elegidos para traer orden y estabilidad al mundo y mantener la creación desde el interior del jardín. El paraíso sería efímero. Después de su unción vocacional, violaron el acuerdo de pacto que los unía al espacio sagrado de Di-s. Su desobediencia causó una brecha en el pacto permitiendo que la ira de Di-s se abriera; la cobertura de protección del que una vez disfrutaron fue eliminada. Exiliados del jardín, fueron forzados a vivir en el campo entre espinos y cardos y las bestias salvajes. El suelo maldito dificultaba el cultivo de alimentos y creaba desafíos para ellos. El campo era un ambiente hostil donde reinaba el caos y el desorden y donde la muerte se convirtió en un compañero constante. Di-s, sin embargo, en Su misericordia y compasión, y con justicia divina, intervino en su nombre; Él proveyó un camino, a través de la expiación de sangre, para que se acercaran una vez más.

Concluida la primera parte de la ceremonia de coronación, el séquito real de Adán se preparó para ascender a la cumbre de la montaña para la coronación en Edén. La procesión cruzó el estrecho promontorio, un oleaje que se asemeja a una pequeña cúpula de montaña en la ladera sur. Adam y *Chavah* se detuvieron junto a Gijón, que fluía suavemente. Las aguas frías salpicaron su piel mientras se relajaban bajo el dosel gigante del Árbol del Conocimiento del Bien y el Mal. El árbol representaba la justicia pura de Di-s; una justicia que solo Di-s podría impartir a los reyes humanos. Adán consideró sus deberes reales: cultivar y cuidar el jardín, esparcir semillas por los cuatro rincones de la tierra, ejercer el dominio sobre la tierra y mediar entre Di-s y el resto de la familia humana.

La coronación de Adán confirmó su adopción por *Yahweh*, y se le concedió el título de Hijo de Di-s. El pacto ahora estaba firmemente establecido entre el Padre y el Hijo. El jardín servía como la concesión real de la tierra — que legalmente se le había otorgado al hijo como herencia. Como Vice regente, Adán gobernó desde el jardín como un rey benévolo responsable de mantener el orden. La fertilidad de la tierra, así como la estabilidad social y política, estaba supeditada a las decisiones de Adán en el ámbito legal. Las decisiones injustas afectaron la naturaleza; las violaciones trajeron sequía, hambre, terremotos, pestilencia y trastornos cósmicos. Bajo los términos del pacto, a Adán se le prohibió comer del fruto del Árbol del Conocimiento. El fruto contenía la semilla que, cuando se ingería, envenenaba a los humanos y les causaba su muerte.

Adán disfrutó de su estado angelical. Vestido con luz blanca, sus vestiduras reflejaban la adoración de Di-s a toda la creación. Ciñó sus lomos con un cinturón de lino finamente trenzado bordado con hilo celeste y carmesí. También llevaba un *choshen*, una coraza de lino para juicio justo, tejida con hilos de oro, azul y carmesí, y llena de una cubierta de piedras preciosas: rubí, topacio, diamante, berilo, ónix, jaspe, zafiro, turquesa y esmeralda. Adán pronto sería coronado con un *netzer* de oro puro grabado con las palabras "Santo para el Señor". De oreja a oreja, a través de su frente, se parecía al arco en el cielo. Adán, el portador de la imagen, admiraba el manto real que vestía, un manto conferido por un rey misericordioso. Como vice regente y uno que ejemplificaba la autoridad de Di-s, Adán fue llamado a someter la tierra mientras ejercía justicia. Adán se deleitó en la gloria de Di-s y las bendiciones de una relación especial de alianza que reflejaba la unidad del Cielo y la Tierra; él era la imagen humana del templo de la creación.

Sin previo aviso, una misteriosa figura apareció detrás del árbol, siseando en dirección a Adán y *Chavah*, "¿Acaso el Único Verdadero Di-s realmente te dijo que no comas de ninguno de los árboles en este jardín tan exuberante de tu rey?" Adam conocía la voz: ¡Inanna, la diosa de la serpiente de Uruk! Adán había servido a esta reina del cielo y madre diosa de la vid como el jardinero jefe en Mesopotamia. Ardiendo de celos, Inanna atravesó el mundo con la intención excesiva de restaurar a Adán a su legítima posición como heredero y rey de Uruk. Adán no había logrado someter a Inanna, y ahora la brillante diosa serpiente vencería a Adán en el jardín. Había permitido que este enemigo del campo entrara en el espacio sagrado y deshonrara a su Di-s. En lugar de preservar y proteger el jardín del caos y el desorden, lo acogió con satisfacción.

La lengua afilada de Inanna logró su efecto. *Chavah*, hipnotizada por la resplandeciente diosa de oro adornada con bellas joyas, sucumbió a sus engaños. Inanna le susurró, "Di-s sabe que cuando comas del árbol, tus ojos se abrirán y tú serás como Di-s, ¡conociendo el bien y el mal! Seguramente no morirás." *Chavah* cayó presa de su adulación; ella confiaba en las vacías promesas de Inanna de sabiduría secreta y poder para convertir a los humanos en dioses. Atraída por los ricos higos recubiertos de terciopelo suspendidos de las ramas del árbol, *Chavah* agarró el fruto. Ella lo "tomó" y "comió" y se lo presentó a Adán quien le siguió. Comió la fruta dulce y suculenta —y con ella la miríada de semillas. La diosa parecía apaciguada. Se felicitó a sí misma por haber ganado la victoria sobre el Único Verdadero Di-s; ella había convencido a Adán de romper el pacto.

Ella ahora esperaba que Adán tomara su posición "legítima" como Rey sobre Uruk y una vez más la adorara. La creación comenzó a tambalearse y gemir en agonía, desesperada por los efectos de la desobediencia de Adán. Cuerpos celestes listados en los cielos; actividad cataclísmica se derramó la tierra. Un violento terremoto dividió la tierra hasta su núcleo; El fuego cayó del cielo y un humo asfixiante se elevó desde el abismo.

Un relámpago brilló a través de gruesas nubes; Di-s apareció como una columna de fuego caminando en el jardín. Fuertes truenos sacudieron la montaña; el eco atravesó las cavernosas hileras de árboles. Adán y *Chavah* temblaron incontrolablemente al sonido de Sus pasos. Los guardianes se convirtieron en intrusos enemigos dentro del campamento. Juntos buscaron protección contra la ira que seguramente seguiría. Agachándose detrás de las hojas gigantes del Árbol del Conocimiento, apenas respirando, se aferraron con fuerza a su musculoso tronco. La diosa de la serpiente continuó sus burlas. Se burló de Adán por su desnudez y se regodeó con el éxito de su misión. Al romper el pacto, Adán se declaró a sí mismo un dios, sentado en el asiento de los dioses, reinando sobre la tierra como un dios. Al comer del fruto, el rey portador de la imagen se proclamó igual a Di-s, convirtiéndose en un ídolo hecho por el hombre para ser adorado.

Chavah tiró de una hoja de higo gigante y tejió un *chagar* (delantal) para colgar las armas. Metiendo el dobladillo de sus túnicas en el delantal, se ciñeron los lomos en preparación para la retribución divina. Adán y *Chavah* llevaron la vergüenza y el deshonor a su Creador y permitieron que el espacio sagrado se contaminara a través de los ardides de la serpiente. El exilio sería necesario para que el jardín sanase y descansara. La voz de Di-s tronó; arrojó llamas de fuego. "Eres humano, mortal — incluso si crees que eres dios".

Inanna, la diosa de la serpiente, fue sacada a la fuerza del santuario del jardín, condenada a "caminar" sobre su vientre, obligada a tomar una posición dócil. Ella permaneció preñada de todos los placeres y deseos de la carne, deseos que cuando se conciben dan a luz al pecado. Desde su útero, se sembraron semillas de caos, confusión y muerte que reprodujeron la naturaleza de una bestia en los hombres. Adán, una vez que la imagen sacerdotal de su Creador, se dejó gobernar por apetitos implacables. Él cambió la gloria de Di-s por un ídolo de sí mismo. Adán lamentó que los reyes de la tierra, que tramaron el mal, ahora conspirarían contra él.

En un ataque de ira, Adán tiró las llaves al jardín mientras salía por la puerta hacia el campo. Culpó a *Chavah* quien a su vez culpaba a la serpiente. Discutieron, maldijeron, se separaron con palabras de insulto y condena. Adán se negó a admitir la responsabilidad. *Chavah* amenazó con volver a las llanuras aluviales del este y renunciar a la ciudadanía de su reino. Adán le suplicó que se quedara.

Furiosa, aleteando y rechazando la derrota, Inanna se determinó que destruiría cualquier vestigio de la imagen de Di-s en el campo. Reunió a sus tropas para la batalla contra el trono del Único y Verdadero Di-s. Ella silbó. Su enorme ejército de soldados marchaba desde el este hacia la montaña del Edén como un enjambre de langostas. Espadas fueron desenvainadas; los escudos de bronce fueron levantados y preparados para la batalla. El capitán de la guardia esperaba las órdenes de Inanna.

Adán admitió que había permitido que la serpiente entrara. Abatido, apretó el puñado de hierbas y especias por el incienso y las semillas de la herencia que había llevado a cabo en el jardín. Él bajó su cabeza avergonzado; con emociones agitadas, Adam lloró. Expulsados del jardín, Adán y *Chavah* se convirtieron en esclavos de la tierra—forzados a trabajar como si estuvieran proporcionando comida a los dioses.

El terror se levantó en su corazón. Adán le rogó a *Yahweh*: "Corrígeme, pero con tu justicia, no con tu enojo, no sea que me traigas a la nada". El peso de sus acciones se apretó con fuerza. La inquebrantable culpabilidad era insoportable. Sostenido cautivo, atormentado por sus pensamientos y sentimientos, Adán gritó de dolor por la liberación y libertad: "Inclina tu oído hacia mí. Saca mi alma de *she'ol*. Mantenme vivo, para que no descienda al pozo. Rescátame rápido, porque he sufrido la deshonra de mi desobediencia. Sé una roca para mí, y líbrame de la red de naciones que me hará desaparecer. Mira mi aflicción y los profundos problemas de mi alma. No me entregues al reino de la serpiente. Mis ojos se están consumiendo de pena junto con mi cuerpo y mi alma. Mi vida está consumida por el dolor y la muerte. Mis huesos se están secando. Soy una vasija rota. Que pueda ser liberado de la devastación que causé, oh Señor, por favor escucha mis súplicas".

Yahweh su Di-s, que lo amaba con un amor eterno, pronunció palabras de consuelo y sanidad. "La vida que tus padres te dieron es preciosa. Una simiente prometida vendrá y te traerá consuelo en tu miseria y alivio en tu trabajo duro, a pesar de que el suelo todavía está maldito. Su nombre será *Noé*; él te proporcionará arrepentimiento y descanso a ti y a tu simiente. Él consolará a los que lloran en *Tziyón* y calmará todos los lugares desiertos de la tierra y volverá a hacer el desierto como el Edén. La Tierra, ahora en estado de caos, será como el jardín de Di-s otra vez. Gozo y alegría se encontrarán en la colina santa. Acción de gracias y gratitud se convertirán en la dulce melodía de un alma."

Inanna promovió todo tipo de comportamiento aberrante en la humanidad — persuadiendo a su simiente real a provocar el caos. Su objetivo: llenar la tierra con idolatría detestable, corromper la imagen de Di-s y atormentar a Sus siervos. Ella aullaba de alegría cada vez que sus portadores de imagen se entregaban a las obras de la carne: inmoralidad sexual, impureza, indecencia, idolatría, brujería, hostilidad, lucha, celos, furia, ambición egoísta, disensiones, facciones, envidia, embriaguez, juerga... las bestias salvajes reemplazaban el *shalom* del Reino, y el desorden — el fruto que se consumó en la idolatría — llenó la tierra. Se transformó en un ídolo brillante y dorado que las naciones y sus gobernantes adoraron felizmente.

Dos querubines estaban parados en el umbral de la puerta del jardín ondulando sus espadas en seis direcciones. Allí Adán construiría un altar de piedra usando el plano provisto por *Elohim* para que él y su progenie pudieran acercarse. El altar de piedra hecho por el hombre se asemejaba al modelo tripartito del cosmos — modelado según los cielos, la tierra y el mar. El fondo, el *azarah ketanah*, era como un atrio pequeño. En el medio, el *soviv* (que significa rodeado) se llamaba *azarah gedolah* o gran atrio. El *Har El*, el Monte de Di-s, era el techo que albergaba un fuego perpetuo. Y así, Di-s confirmó un pacto de sangre con Adán a la entrada del jardín antes de enviarlo al campo a trabajar la *adamah* (tierra).

Adam y *Chavah* se instalaron fuera de *Urushalim* cerca de la entrada del jardín. Fue elegido por un propósito divino; sirvió como una influencia civilizadora en el mundo social, económico y político de los antiguos. La familia de Adán moraba en el área pastoral que rodeaba la ciudad donde se podía criar ganado para el servicio del altar. La familia mantuvo sus rebaños lo más cerca posible del Gijón debido a su continuo suministro de agua y buenas tierras de pastoreo. Adán recordó cómo los mesopotámicos adoraban sus florecientes ciudades; para ellos, la vida civilizada era un regalo dado a los hombres de los dioses. Di-s continuó bendiciendo a Adán y su familia en sus actividades agrícolas — la verdadera base para el éxito de la ciudad.

Adam cavó una cisterna para almacenar agua junto a una pequeña arboleda de cedros, y enyesó las paredes de la cisterna con arcilla. Él y sus hijos erigieron una simple estructura de piedra caliza de dos pisos para su creciente familia, completa con una chimenea de piedra central para las frías noches de *Urushalim*. Gigantescas vigas de cedro se extendían por el techo con largas ramas de sauce colocadas en el medio. Los escalones de piedra que conducían a la parte posterior de la casa conducían a una sala superior reservada para la oración. Se plantaron olivares y viñedos a partir de la semilla que Adán adquirió en el jardín; el fruto proporcionó comida en abundancia para toda la familia. Adán pasó su vocación jardinera a Caín, su primogénito, para cultivar el suelo y presentar los primeros frutos en el altar. Adam y *Chavah* le dieron la responsabilidad de criar ganado a su segundo hijo, Abel, quien se convirtió en el principal pastor de la familia.

Además de sus responsabilidades agrícolas, Adam trabajó incansablemente como un experto artesano. Él cinceló piedras pequeñas de una roca grande para un altar en el lugar alto en la montaña. Una vez que las piedras talladas encajaban perfectamente, los hijos sujetaron la rampa de piedra. Dos veces al día, por la mañana y por la tarde, Abel sacrificaba un carnero del rebaño, lo cortaba en nueve pedazos y arrojaba las partes sobre el altar encima de la llama perpetua. Recolectaba la sangre en un recipiente especial, la rociaba sobre los cuernos en las cuatro esquinas del altar y vertía la sangre restante en la parte inferior. Cada séptimo día, Caín, el primogénito, quitaba las manchas de sangre y restauraba el altar a su color original — un trabajo que llegó a aborrecer.

Elohim se deleitó con el olor dulce del *Tamid Korban Olah* (ofrenda de elevación diaria) ya que el fuego consumía la ofrenda quemada. Le recordaba a Abel su maldad; estaba agradecido por la expiación — la solución divina que Dios había provisto para su estado pecaminoso. El primer sacrificio se ofrecía cada mañana, lo que permitía a toda la familia acercarse a Di-s. El humo espeso se levantaba en una columna; conectaba la Tierra con el Cielo. Solo quedaban las pieles del animal. Las pieles se curtían fuera del campamento y se usaban para escribir materiales, prendas de vestir, sandalias y zapatos, e incluso odres — botellas de piel para almacenar y transportar líquidos.

Caín trajo su *minchah* (ofrenda de primicia de grano o fruta) temprano una mañana antes de que Abel ofreciera *Tamid*

Korban Olah. Como resultado, Di-s no miró favorablemente la ofrenda de Caín; no fue presentada a la hora designada. Caín se enfureció por esta injusticia percibida. ¿Por qué Abel siempre debe acercarse primero? Caín era, después de todo, el hijo primogénito, el futuro jefe jardinero, y el siguiente en la línea para gobernar. Los celos se convirtieron en odio que le causo disgusto. Mientras estaba de pie en el campo delante del altar, Caín se levantó y mató a Abel. Cuando Di-s le preguntó a Caín sobre el paradero de su hermano, respondió acaloradamente: "¡No sé! ¿Soy el guardián de mi hermano?" Caín había cortado la semilla potencial de Abel de la dinastía. Cuando la sangre se filtró lentamente en la tierra casi impenetrable, la tierra manchada de rojo abrió su boca; la sangre se escurrió por un canal estrecho y se acumuló debajo del altar. Caín buscó un lugar para esconder el cuerpo. Al esculpir una sección de la roca dura de piedra caliza en las empinadas laderas a las afueras de *Urushalim,* en un lugar llamado "campo de sangre", enterró a su hermano en una cueva. La sangre justa de Abel eventualmente sería vengada.

Di-s colocó una marca sobre Caín para protegerlo de la muerte. En lugar de la muerte, llevaba la etiqueta de un nómada incivilizado y era visto como una amenaza para la sociedad sofisticada. Un hombre salvaje, una bestia en el campo, se convirtió en el grito de guerra para los menospreciados y los temidos. Caín nunca volvería a trabajar como agricultor o disfrutar de la libertad que proviene de cultivar semillas. Sería permanentemente esclavizado en las naciones donde finalmente desaparecería. Caín perdió su sentido de propósito, y entonces se desperdició como su hermano, Abel.

Adán y Chava lloraron la pérdida de sus hijos. Adán se llegó a su esposa otra vez, y ella dio a luz un hijo y lo llamó Set, "porque Dios me ha dado otra descendencia en lugar de Abel, a quien Caín mató". La línea de los reyes continuaría a través de Set hasta que el Mesías viniera y restaurara el pacto roto, limpiara del pecado, y derrotara el poderoso ejército de la serpiente.

Cuando Adán rompió el pacto con Di-s, causó una ruptura permanente en la relación entre padre e hijo en el ámbito natural. El asesinato de Abel prolongó el espiral descendente. La progenie de Adán descubrió que la vida en el campo impedía el vínculo entre padres e hijos, lo que provocó una disfunción familiar continua. Afectaría a todas las familias por milenios por venir. Los padres y los hijos tendrían dificultades para construir y mantener la confianza e intimidad. Los hijos serían impulsados por la ira y la rebelión contra sus padres por negligencia. Los padres responderían contra los hijos por no cumplir con sus expectativas. La incapacidad de conectarse llevaría a consecuencias devastadoras para las familias, las naciones y para la sociedad en general. La imagen de Di-s en los hombres había disminuido drásticamente.

La figura de la serpiente condujo a los gobernantes de la tierra en su búsqueda del control del mundo. Intentaron aplastar, intimidar y perseguir a los débiles y vulnerables. Los déspotas corruptos continuamente se levantaron para devastar la tierra en beneficio personal, ejerciendo poder, influencia y control no solo sobre las masas de la humanidad, sino contra el Único Verdadero Di-s y Sus ungidos. Los dos reinos estaban constantemente en conflicto. El adversario se obsesionó con la usurpación del trono de Di-s y la instalación de un representante, una realidad que se repitió a través de los imperios de Egipto, Asiria, Babilonia, Persia, Grecia y Roma. Solo los portadores de imágenes de Di-s podrían oponerse a estas fuerzas de tiranía, pero a costa de convertirse en mártires. En un momento de la historia, en el Israel del primer siglo, el mal convergió en un árbol — la barbarie del imperio romano, la corrupción y la explotación de la clase dominante de la tierra de Israel y las facciones políticas violentas crearon inquietud y caos por la tierra. El Segundo Adán sufrió y fue crucificado en el lugar donde el

Cielo y la Tierra se encuentran. "[E] l Mesías es el garante de Israel; él ha emprendido el sufrimiento para expiar los pecados de Israel a fin de acortar el exilio" (*Yalkut Shimoni* 499). Junto con el entierro del Mesías y la resurrección de entre los muertos, derrocó a los poderosos reyes de la tierra.

El Exilio

Pero ahora tu tienda está arruinada, todas sus cuerdas están cortadas; Mis hijos y mi ganado ya no están; Ya no hay ningún lugar para mi tienda, Ni lugar para mis cortinas.

(JEREMÍAS 10:20)

La historia del exilio de Adán del jardín se convirtió en la historia del exilio de Israel de la Tierra Prometida. La desobediencia de Adán hizo que la creación se desenmarañara; la tierra sintió los efectos primero. "La expulsión de Adán y Eva del jardín, y la aparición del jardín de espinas y cardos, es el equivalente en términos de la raza humana completa de la expulsión de Israel de la tierra" (editor J. Scott 2017:71). Fretheim explicó que el pecado del pueblo había puesto una tensión intolerable en la tierra y que necesitaba tiempo para recuperarse. Los años sabáticos, como el *Shabbat* semanal, proporcionaron descanso de la interferencia humana (2005:139). Añadió que el incumplimiento de esta práctica dio lugar a efectos negativos, es decir, la eliminación de la gente de la tierra. El campo necesitaba redención — al igual que los hombres; tanto la tierra como la humanidad experimentaron una liberación cada "séptimo año". El exilio permitió que el espacio sagrado "descansara" de la contaminación causada por la idolatría de Israel.

Adán disfrutó de la protección que le proporcionaba su relación de pacto con *Yahweh*. Violar el mandamiento de no comer del fruto del Árbol del Conocimiento resultó en su exilio del jardín — una separación similar a la disolución del matrimonio. Adán se convirtió en *garash* (divorciado) del rico suelo que brotaba de los árboles para producir fruto abundante. Desnudos, Adam y *Chavah* se volvieron vulnerables al ambiente hostil del campo: las consecuencias de romper el pacto. Ahora, fueron removidos de un lugar de honor y fueron exiliados a un lugar de vergüenza; actuaron como una ramera negándose a cubrir su vergüenza.

Durante el exilio en Babilonia, Jeremías le recordó al pueblo cómo habían fornicado bajo cada árbol verde como una prostituta. ¡Cómo habían adorado en cada colina alta! La prostitución de Israel condujo a la destrucción del santuario central y al exilio a tierras extranjeras. Ezequiel capítulo 23 proporciona una imagen muy gráfica de Samaria y Jerusalén prostituyéndose con Asiria y Babilonia respectivamente. Di-s los entregó a sus lujurias. Los exilió a las mismas naciones con quienes habían cometido adulterio. "Si un hombre se divorcia de su esposa y ella lo deja para estar con otro hombre, ¿volverá a casarse otra vez con ella? ¿No estaría tal tierra totalmente contaminada? Eres una prostituta con muchos amantes. ¿Ahora vuelves a Mí?" (Jeremías 3:1). Israel continuamente corrió tras los dioses de tierras extranjeras; en casa, imitaron las prácticas de las naciones donde alguna vez vivieron.

> "A causa de las continuas fornicaciones de esta ramera, esta seductora dama de la hechicería, que vende naciones con su fornicación; y pueblos por su hechicería. Estoy contra ti," dice *Adonai Tzeva'ot.* "Yo descubriré tu falda en tu rostro; Yo mostraré a las naciones tu vergüenza y a los reinos tu desgracia.
>
> *(NAHUM 3:4,5)*

Adán pronto descubrió una tierra seca y sedienta que necesitaba desesperadamente agua tanto para las plantas como para las personas — una tierra donde la familia de Adán lucharía continuamente por recuperar su humanidad y donde la muerte buscaría destruir la carne sin valor. Se convirtieron en bestias en el campo que carecían de la forma de imagen que el hombre recibió originalmente. La principal entre las bestias era la serpiente, cuya existencia dependía de corromper la imagen de Di-s al atacar a los portadores de la imagen de Di-s y manipular a los gobernantes y príncipes del mundo. La imagen de la serpiente reflejaba la de los grandes monstruos marinos en las profundidades que gobernaban el caos desde sus tronos. Los portadores de la imagen de Di-s gimieron bajo tiranía —oprimidos y esclavizados por las elites gobernantes del mundo. *Elohim*, en Su misericordia y compasión, instruyó a Adán para construir un altar de piedra en el campo a la entrada del jardín. Allí, él y sus descendientes podían acercarse al lugar de la Presencia de Di-s hasta que el Rey de reyes y el Señor de señores finalmente conquistaran a los tiranos del mundo y liberara a Sus hijos por la eternidad.

Al principio, se necesitaron siete *yamim* (días) para construir la Casa Cósmica de Di-s. Descansó en el séptimo día después de haber traído el orden del caos y función sin forma. El ciclo agrícola de Israel sigue el modelo después de los siete días de la creación: Panes sin Levadura es una festividad de siete días, seguido por las siete semanas de contar el *Omer* hasta *Shavuot* (es decir, patones de sietes). *Rosh HaShaná*, cabeza del año y el día del soplo del *shofar*, comienza el primer día del séptimo mes. *Sukkot* es la festividad de siete días para la recolección de la cosecha. Cada siete años, se celebra un *sh'mittah* para dar descanso a la tierra; no se permite la siembra, siega o cosecha (Levítico 25:20). Cada cincuenta años, llamado *Yovel* o año de Jubileo (el año siguiente a siete ciclos de siete años), la tierra se devuelve a su propietario original, y todos los esclavos son liberados. Setenta años fueron determinados para el exilio de Israel en Babilonia para que la tierra pudiera descansar y recuperarse de la idolatría de Israel. En última instancia, cuando los cielos y la tierra se unan en un *Yovel*, la propiedad de la tierra será transferida a su legítimo propietario — el Rey del Universo.

El exilio es un ambiente tipo caos que corresponde a la condición primordial antes de la creación. En las Escrituras se describe como un barbecho, un lugar reseco, una tierra seca y sedienta, un desierto o lugar desolado, un pozo vacío y una cisterna seca separada de los ríos de agua viva. El libro de Lamentaciones (una expresión de dolor por la destrucción del Templo) compara el pecado de Israel con el violar las leyes de pureza ritual: "Jerusalén ha pecado grandemente — por lo tanto, se ha convertido en *niddah* [removida del campamento]" (1:8). En términos prácticos, una mujer era *niddah*, o separada de su esposo, durante su ciclo mensual debido a la muerte de su posible descendencia. Una inmersión restauraba su pureza y le permitía volver a entrar en el campamento. Esto no era un problema moral, porque ella no había pecado. Era debido a la necesidad de proteger el espacio sagrado de la contaminación de la muerte. Volver a un estado de pureza ritual requería limpieza en agua, y esto era requerido por alguien que se acercara al Rey.

Génesis *Rabá* (21.8) compara la expulsión de Adán y Eva del Edén con la destrucción del Templo. La idolatría de Israel produjo resultados catastróficos: hambre, plagas, pestilencias, terremotos y guerras que dificultaron que la semilla germinara y echara raíces. "Su raíz será como la podredumbre, y sus flores crecerán como polvo". Porque ellos han rechazado la Torá de *Adonaí*" (Isaías 5:24). Una mujer estéril era una metáfora del estado primordial del caos y el desorden. Tres cosas nunca llegaron ni se llenaron de satisfacción: la tumba, el útero estéril y la tierra seca (Proverbios 30:15,16). Cuando las matriarcas, que eran estériles, finalmente quedaron embarazadas, el nacimiento de su descendencia (los reyes) fue una declaración de nueva creación correspondiente al nacimiento del Reino.

¿Por qué Jacob y sus hijos bajaron a Egipto (el mundo) para vivir en el exilio? Jacob instruyó a sus hijos a tomar algunos de los mejores productos de la tierra y llevarle una ofrenda al hombre, José, en Egipto: bálsamo, un poco de miel, resina aromática, mirra, nueces de pistachos y almendras (Génesis 43:11). Esto sugiere que los árboles en Canaán aún producían fruto. Sin embargo, Jacob envió a sus diez hijos a Egipto a comprar grano para poder "sobrevivir" (Génesis 42:1,2). La familia finalmente fue enviada a Egipto—la consecuencia fue que los hijos de Jacob debieron haber sacado a José, su coheredero, de la Tierra Prometida al venderlo como esclavo (el peor juicio posible en el mundo antiguo). Y así, Jacob y su familia, que sumaron setenta, vivieron como extranjeros en Egipto. Una vez que toda la familia se reunió, se volvieron "fructíferos y aumentaron en abundancia, se multiplicaron y crecieron en gran número—por lo que la tierra se llenó de ellos" (Éxodo 1:7).

José, cuando fue sacado del pozo, se desempeñó como visir en Egipto para preservar la semilla de grano—los *Benai Israel*, los hijos de Di-s. Con el tiempo, un nuevo faraón ascendió al trono que no "conocía" a José, es decir, se negó a reconocer la posición de autoridad de José bajo el gobierno de Di-s. Israel—obligado a abandonar su estilo de vida agrícola y pastoral, construyeron monumentos de ladrillos para el nuevo faraón. "Abandonando los mandamientos del Señor, ellos [se] unieron a sí mismos con *Beliar*. Renunciando a la agricultura, [siguieron] sus planes malvados" (*Testament of Issachar* 6.1-2). Temeroso de perder el poder, el faraón estableció maestros de tareas para esclavizar a los hijos de Israel, matar sus semillas y obstaculizar su reproducción y propagación de semillas. "Ellos [los egipcios] los trataron [a los hijos de Israel] duramente con mortero y ladrillo, haciendo toda clase de trabajos en los campos" (Éxodo 1:14).

Di-s liberó a Israel del ejército de Faraón y luego dio a luz a la nación a través de las aguas de *Yam Suph* (Mar de Juncos). Lo que siguió fue el clímax del Éxodo—la restauración de la Creación en la construcción del Tabernáculo y la semana de la creación se repitió. En el desierto, Di-s proporcionó los materiales necesarios para armar el Tabernáculo: "Plantaré el desierto con cedros, acacias, arrayanes y olivos; en el desierto pondré cipreses junto con olmos y alerces" (Isaías 41:19). El lenguaje arquitectónico que describe la creación está ligado a la construcción del Tabernáculo: Todo el trabajo del Tabernáculo, la Tienda de Reunión, fue *kallah* (completado) como los cielos y la tierra. La nueva nación brotó como un renuevo del suelo; una vez que el mar se dividió, las aguas se juntaron y apareció tierra seca (Génesis 1:9,10).

En el templo de Ezequiel, "el agua fluía desde el umbral de la casa hacia el este... desde debajo del lado derecho de la casa" (Ezequiel 47:1). En el Tabernáculo, el agua brotaba de las corrientes rocosas — que fluían en el desierto y de los ríos que corrían por los pedregales. Cuando los cautivos regresaron a Zión, los lugares anteriormente secos se convirtieron en un jardín bien regado donde florecían las rosas.

Contemplen, estoy haciendo algo nuevo; está brotando – ¿No lo puedes ver? Estoy haciendo una calzada en el desierto, ríos en tierra seca...porque pongo agua en el desierto, ríos en los en la tierra seca, para que mi pueblo escogido beba, el pueblo que he preservado para Mí, para que proclame mi alabanza.

(ISAÍAS 43:19-21)

Israel también era una planta regada enraizada en el rico suelo del jardín, que producía semilla y producía descendencia; las genealogías en la Biblia representan este ideal de creación. El Evangelio de Mateo comienza, "Un libro del Génesis de Jesucristo, Hijo de David" (Beale & Carson 2007: 2). Basado en el patrón de los *toldot* (generación de hijos) de los cielos y la tierra (Génesis 2:4), Mateo hace una crónica de las generaciones desde *Abraham* hasta *Yeshúa* el Mesías. Los tres grupos de catorce generaciones enumeradas enfatizan el exilio como un punto de partida y parada. Cuarenta y dos generaciones se enumeran — en relación con los cuarenta y dos campamentos en el desierto donde el Tabernáculo estaba "en medio de ellos" (Números 33). De acuerdo con N.T. Wright, seis sietes (los seis días de la creación) pasarían antes de que el exilio terminara. Él explica además que esto es de lo que Daniel el profeta está hablando (9:24) y que *Yeshúa* fue el séptimo de los siete que vino a rescatar a Israel de su "largo exilio" (2012:71). La genealogía se extendió desde *Abraham* hasta David (14), desde David hasta el exilio babilónico (14), y desde el exilio babilónico a *Yeshúa* (14). Tal vez esto también esté relacionado con el valor numérico del nombre de David: *dalet, vav, dalet* que es 14. Según John Walton, las genealogías mesopotámicas eran en su mayoría realeza; creían que los reyes eran la imagen del poder y el reinado de su dios (2009:44).

Cuando los pecados fueron perdonados en el Templo—el lugar de la Presencia de Di-s, el exilio terminó. La destrucción del Segundo Templo vino después de que *Yeshúa* resucitó de entre los muertos. NT Wright explica que los judíos del primer siglo vieron la dominación romana como una continuación del exilio.

La mayoría de los judíos de este período, al parecer, habrían respondido a la pregunta "¿dónde estamos?" En el lenguaje, que, reducido a su forma más simple, significaba: todavía estamos en el exilio. Creían que, en todos los sentidos que importaban, el exilio de Israel todavía estaba en progreso. Aunque ella había regresado de Babilonia, el glorioso mensaje de los profetas no se cumplió. Israel todavía se mantuvo esclavo de los extranjeros; peor, el dios de Israel no había regresado a Zión.

(WRIGHT 1992: 268-269)

El encuentro de *Yeshúa* con la mujer samaritana en el pozo (Juan 4) delinea este tema. Él estuvo de acuerdo con ella, "porque has tenido cinco maridos, y el hombre que tienes ahora no es tu marido" (Juan 4.18). *Yeshúa* comparó el vínculo de Samaria (las diez tribus del norte) con las cinco potencias extranjeras y los llamó maridos: Egipto, Asiria, Babilonia, Persia y Grecia. Roma fue el sexto "hombre" que no era un esposo legítimo. Los samaritanos afirmaron ser los verdaderos hijos de Israel, descendientes de la tribu de José (Efraín y Manasés), quienes permanecieron fieles a la Torá de Moisés. (Existe una tradición de que 300 sacerdotes y 300 rabinos se reunieron una vez en el atrio del templo en Jerusalén para maldecir a los samaritanos con todas las maldiciones de la Ley de Moisés).

Como Israel, el renuevo, el Mesías, brotó de la tierra para convertirse en un gran árbol que construiría la Casa de Di-s. El Mesías *Yeshúa* fue el *Tzemach* (renuevo), la nueva creación, el nuevo templo donde moraba la Presencia de Di-s. "¿A quién le es revelado el brazo de *Adonai*? Porque antes que Él creció como un retoño, como una raíz de tierra seca" (Isaías 53:1,2).

Para un árbol hay esperanza que si es cortado, retoñará de nuevo, sus ramas continuarán creciendo. Aun si sus raíces se envejecen en la tierra y su tocón muere en el suelo, aun al percibir el agua espigará y echará ramas como una planta joven.

(JOB 14:7-9)

La parábola de la semilla de mostaza habla del Reino de Di-s. "Aunque es la más pequeña de todas las semillas en la tierra, aun cuando se planta, crece y se convierte en la más grande de todas las hierbas". Produce grandes ramas, de modo que las aves del cielo pueden anidar en su sombra" (Marcos 4.31, 32). Se está haciendo una comparación con la familia de Jacob, el cual el Profeta Amós llama pequeña (7:2), y con Belén, *Efrata*, que es pequeña entre los clanes de Judá. De ellos vendrá el gobernante de Israel (Miqueas 5:2).

La libertad del exilio requirió la eliminación de ídolos detestables y el pago por el perdón de los pecados (hecho en el lugar en que Di-s puso Su Presencia) para que la tierra pudiera sanar.

Ahora restauraré a Jacob del exilio, cuando tenga compasión de toda la Casa de Israel. Seré celoso de Mi Santo Nombre. Llevarán la vergüenza y toda su deslealtad por la cual rompieron la fe [convenio] conmigo, cuando vivían d\seguros en su tierra, sin que nadie les temiera. Cuando los haya traído de los pueblos y los haya sacado de las tierras de los enemigos, seré santificado en ellos a los ojos de muchas naciones. Entonces sabrán que yo soy *Adonai* su Di-s, ya que fui Yo que los causé ir al destierro entre las naciones y Yo que los reuniré de nuevo a su propia tierra. Nunca más los dejaré allí. Nunca más ocultaré Mi rostro de ellos. Porque derramé mi *Ruach* sobre la casa de Israel.

(EZEQUIEL 39:25-29)

Cuando *Yeshúa* el Mesías, que es el representante de Israel, cumpla su obra redentora, entonces el exilio de toda la humanidad habrá terminado.

El Campo

Entonces ellos dirán: "¡La Tierra que estaba desolada se ha convertido Como el jardín en Edén, y las ciudades que estaban arruinadas, Abandonadas y desechadas están habitadas!"

(EZEQUIEL 36:35)

Adán y *Chavah* disfrutaron de una relación de afinidad especial con la *adamah* (tierra) hasta que rompieron el pacto y se distanciaron. "Después de la expulsión del Jardín, la tierra [germinada] de espinas y cardos y Adán [fue] proscrito a comer plantas del campo, porque *Yahweh* [había] *maldecido* la tierra. Esto conlleva a dificultad y dolor en el mundo ordinario... la creación perfecta se había vuelto al caos" (George & George 2014:119). La aflicción y la angustia los acompañaron mientras cultivaban la tierra implacable. Según los sabios, atender un campo realmente significaba estar esclavizarlo. Para cultivar, los hombres llegaron y esclavizaron la tierra y forzaron a pedazos de tierra a producir.

El campo estaba al este del jardín, en la dirección opuesta al Edén, un mundo de caos donde vivían bestias y animales salvajes y donde la serpiente gobernaba sobre los hombres. Los chacales y las bestias salvajes se convirtieron en metáforas de los enemigos de Israel —extranjeros que atacaron a Israel y convirtieron la "tierra" en una fortaleza para espinas y cardos. "16 Recuerda a las naciones, he aquí, ellos han venido, proclámalo en Jerusalén: 'La hordas están viniendo desde una tierra distante, vigilando y gritando a su paso contra las ciudades de Judá.' 17 Como guardas en el campo la rodean, porque ella se ha rebelado contra mí," dice *Adonai*" (Jeremías 4:16,17). Cuando el ejército asirio vino contra Ahaz, rey de Judá (padre de Ezequías), Isaías advirtió que cada lugar donde había mil viñas que valían mil siclos de plata se convertiría en zarzas y espinas (Isaías 7:23). "Pero [la tierra] que produce espinas y cardos, no tiene valor y está cerca de ser maldecida, su fin será quemarse" (Hebreos 6.8).

La casa de la serpiente era el campo. Caín asesinó a su hermano en el campo (Génesis 4: 8). Esaú, el hermano gemelo de Jacob que vendió su primogenitura por un guiso, era un hombre del campo (Génesis 25:27). La palabra en arameo para "campo de sangre", *Akeldama* recibió su nombre del *adamah*: el color rojizo de la tierra por el derramamiento de sangre humana. Situado a las afueras de Jerusalén, en la empinada ladera del Monte Zión, las cuevas fúnebres fueron cinceladas en roca caliza. Las cuevas albergaban los restos de las familias judías adineradas y las pertenecientes a la aristocracia de Jerusalén en el período del Primer y Segundo Templo.

De acuerdo con el libro de Hechos (1:19), Judas compró el campo y luego de ahorcarse cayó de cabeza (propenso en griego) de tal manera que sus intestinos "se desparramaron". Su vientre hinchado —se rompió violentamente, lo que llevó a su muerte. La mujer "sospechosa de adulterio" (llamada *Sotah*) bebía de las aguas amargas que causaban que su vientre se hinchara. Si se la encontraba culpable de infidelidad, ella experimentaba un aborto espontáneo o la muerte de su semilla (Números 5:27). Sigue librándose una batalla entre la simiente de la mujer y la simiente de la serpiente. Para el primer siglo, la serpiente en el campo se transformó en la imagen del diablo; ambos llegaron a representar a los reyes y gobernantes de la tierra que incluían a las elites gobernantes de Israel—al igual que arbustos espinosos y zarzas que enganchan al inocente y el carnero atrapado en la espesura como el sustituto de *Isaac* (Génesis 22:13).

Las bestias del campo representaban gobernantes extranjeros que subyugaban a Israel, oprimían a los pobres y tiranizaban tanto a sus ciudadanos como a los que conquistaban. Dentro de la nación de Israel, una maldición vino sobre la tierra para aquellos líderes que violaron los mandamientos de Di-s. Los reyes malvados de Israel y Judá gobernaban con mano de hierro y sin justicia, compasión ni misericordia. ¡Eran como malezas que brotaban en el campo! Las malas hierbas fueron descritas como los hijos del maligno (Mateo 13:38). El juicio vino sobre el pueblo porque sus líderes violaron el pacto. "Miré a la tierra y he aquí que estaba desierta y desolada... Miré y vi que el campo fértil era un desierto y todas sus ciudades estaban en ruinas" (Jeremías 4:23-28).

Incluso David reconoció su naturaleza de bestia. Al hablar de sus contemporáneos, los reyes y las élites gobernantes de su época, reconoció cómo los envidiaba en su corazón cuando vio su prosperidad y cómo nunca experimentaron los problemas de la humanidad. David observó que parecían estar a gusto mientras acumulaban una gran riqueza. Él estaba muy preocupado por esto y gritó: "Entré al Santuario de Di-s y percibí su *final*. Cuando mi corazón estaba amargado y yo estaba atravesado en mi corazón, era brutal e ignorante. Yo era como una bestia delante de ti" (Salmo 73:17, 21,22).

En el campo (que es el mundo), *Yeshúa*, hijo de David, explicó que habría tribulación, pero que Él había vencido al mundo. El siervo prometió restaurar el Pacto de *Shalom* (paz) y liberar a sus hijos de las bestias salvajes. Eso requería remover a las bestias malvadas de la tierra para que el pueblo pudiera vivir sana y salvamente en el desierto donde los árboles del campo producirían y donde la destreza agrícola de Israel llegaría a ser conocida (Ezequiel 34:25,27-29). "En lugar de la zarza crecerá un ciprés, y en lugar de brezo, aparecerá un mirto, y será un monumento a *Adonai*, como una señal eterna que nunca será cortada" (Isaías 55:13).

"En la mitología, incluso en el Antiguo Medio Oriente y en toda la Biblia, un páramo desértico tan salvaje e inculto comúnmente significa caos, el vacío y la inexistencia — la modalidad sin forma de la pre-creación — y, por lo tanto, paralelos en el significado de las aguas primordiales" (George & George 2014:95). El campo era análogo al vacío primordial y sin forma y estaba relacionado con el desierto y los páramos. Las leyes naturales gobiernan el campo. La semilla germina, crece en una planta o árbol que crea flores, y cuando se fertiliza produce fruto que contiene semillas para la próxima generación. Al igual que la piel de un hombre, las plantas se descomponen y se descomponen en la tierra, la semilla muere y permanece inactiva esperando a que germinen — las condiciones adecuadas: una combinación de sol, tierra rica y abundante agua. "Si caminan en mis estatutos, guardan mis *mitzvot* y los lleven a cabo, entonces les daré lluvias en su tiempo, la tierra dará sus cosechas y los árboles del campo darán sus frutos" (Levítico 26:3). "Porque la tierra, habiendo absorbido la lluvia que frecuentemente cae sobre ella, produce vegetación útil para aquellos para quienes es cultivada; y comparte la bendición de Di-s" (Hebreos 6:7).

Israel construyó el Tabernáculo, un cosmos en miniatura, en el patrón de la creación. Como Adán, que también era un cosmos en miniatura, se formó a partir del polvo de la tierra — levantado del suelo seco y desolado. Durante casi cuarenta años, Israel viajó a través de tierra árida. Sin embargo, Di-s moraba en medio de ellos y proporcionaba Su Espíritu vivificante. ¡Su agua viva brotó de una roca que convirtió el caos en un jardín bien regado de árboles frutales! La presencia de *Yahweh* envolvía el campamento, los conservaba y los hizo multiplicarse y crecer, es decir, hasta que su idolatría resultó en la muerte de toda una generación.

Los sabios conectaban el campo con el concepto de "*si'ach*", lo que significa oración o meditación. "Antes que cualquier planta en el campo (*si'ach sadeh*) estuviera en la tierra [*eretz*]... el Señor no la había hecho llover y no había hombre que labrara la tierra" (Génesis 2:5). Orar en el campo estaba ligado al trabajo de un sacerdote que cultivaba la tierra. Según el rabino Hirsch, "el que ora, bebe de la fuente de la vida espiritual y luego riega y refresca su ser interior para producir un jardín floreciente y flores". El campo permaneció en un estado de caos y desorden hasta que Di-s envió lluvia — y entonces una nueva creación brotó de la tierra. *Yeshúa* entendió que el campo era un lugar de dolor y tristeza, angustia y pérdida — un lugar donde el Mal acecha listo para matar, robar y destruir para evitar que la imagen de Di-s se propague a través de Sus portadores de imágenes.

El que siembra la buena semilla es el Hijo del Hombre, y el campo es el mundo. Y la buena semilla, estos son los hijos del reino; y las malas hierbas son los hijos del maligno. El enemigo que la sembró es el diablo; la siega es el fin de la era y los segadores son los ángeles... El Hijo del hombre enviará a sus ángeles, que recogerán de su reino a todos los apostatas y a los que hacen iniquidad.

(MATEO 13:37-41)

Ahora el campo de Efrón que está en Macpela junto a Mamré (*Hebrón*) — el campo y la cueva que está en él, y todos los árboles que están en el campo en todo su territorio circundante — fueron entregado a *Abraham* como su posesión comprada... Después, *Abraham* sepultó a Sara su esposa en la cueva en el campo... en la tierra de Canaán.

(GÉNESIS 23:17, 19)

Según los sabios, la cueva en el campo de Efrón conducía al Jardín en Edén. Sara fue reunida con sus antepasados, Adán y *Chavah*, y fue sepultada allí para esperar la resurrección. Macpela significa doble; *Hebrón* significa compañeros. Las cuevas en el mundo antiguo representaban el santuario interior de un templo, donde el Cielo y la Tierra se encuentran y donde dos se vuelven uno. "Una cueva o tumba dentro de una montaña era un símbolo para el centro sagrado del templo. Entrar en la cueva de la montaña significaba entrar en la tierra" (George 2014:102). El cuerpo de *Yeshúa*, envuelto en lino y sellado con una mezcla de mirra de áloes, fue enterrado en una tumba nueva en un jardín (Juan 19:40-42) esperando ser levantado al tercer día. Nuestras madres y padres finalmente se levantarán de la tierra para recrear el Templo de la Creación. Los árboles que brotaron cerca de la cueva reemplazaron los arbustos espinosos; fueron una señal eterna de la restauración de la Casa de Di-s.

Cuando los nuevos cielos y la nueva tierra sean uno, *kallah* (completado), como en el matrimonio (Revelación 21:1; Isaías 66:22), el campo/la tierra será transformada. Y así, como *Isaac* esperó pacientemente en el campo para que su novia regresara del exilio. "*Isaac* salió a meditar, paseando en el campo al atardecer. Luego alzó los ojos y vio que venían camellos. *Isaac* trajo [Rebeca] a la tienda de campaña de Sara, su madre, se llevó a Rebeca y ella se convirtió en su esposa — y él la amó" (Génesis 24.63, 67). *Isaac* llamó el templo un campo. Los sabios declararon que el rey (*Isaac*) estaría en el campo durante el sexto mes, Elul — un tiempo para la misericordia divina propicio para la oración y el arrepentimiento. Elul forma el anagrama, "Yo soy de mi amado, y mi amado es mío" (*Ani l'dodi v'dodi li*). El intenso amor entre *Isaac* y Rebeca reflejó perfectamente la relación entre Di-s y Su pueblo.

CAPÍTULO CUATRO

REYES

*"Cuando hayan entrado en La Tierra que Adonaí
su Di-s les está dando, hayan tomado posesión de
ella y estén viviendo allí, y digan; 'Yo quiero tener
un rey sobre mí como todas las otras naciones
alrededor de mí. En ese evento, nombrarán como
rey el que Adonaí su Di-s escoja. Él debe ser uno de
sus hermanos, este rey que nombren sobre ustedes.*
(Deuteronomio 17:14-15a)

La siguiente ilustración ficticia llena los vacíos del *Akeidah*: la
atadura de *Isaac* (Génesis 22). Según la tradición, el evento
tuvo lugar en el Monte Moriá: el área del Templo. Sin embargo,
el Monte de los Olivos, el monte al este de Moriá, fue elegido
para esta ilustración en particular. La *Rosh* (cabeza) del Monte
de los Olivos era el lugar para la ofrenda de la vaca roja durante el período del Segundo Templo. Fue allí donde *Abraham*

montó su tienda, erigió un altar e invocó el Nombre del Señor (Génesis 12:8). El Monte de los Olivos también fue llamado el Monte de la Unción por sus muchos olivares que produjeron el aceite para ungir a los reyes de Israel.

En el *Akeidah, Itzjak (Isaac)* fue ofrecido como un *olah* (ofrenda de elevación) que generalmente era una ofrenda quemada. Sin embargo, dado que *olah* es un nombre femenino, también podría referirse a la novilla roja. Ambas ofrendas eran completamente consumidas. Durante el primer siglo, la novilla era atada con hierba de caña y puesta sobre el altar antes de ser masacrada. Después de ser consumida por el fuego, sus cenizas se mezclaban con agua del Manantial Gijón (donde Salomón fue ungido rey). En el tercer y séptimo día, aquellos contaminados con impurezas de cadáver eran rociados con la mezcla para eliminar la contaminación.

Cuando la noche descendió al campamento del desierto, *Abraham* miró por la abertura de la tienda para inspeccionar el fuego. Las noches seguían siendo frías incluso cuando se acercaba el verano. Agarró unos cuantos troncos de cedro, los colocó sobre las brasas agonizantes y esperó a que la madera seca estallara en llamas. Mientras calentaba sus manos, *Abraham* reflexionó sobre los momentos cruciales de su vida. Recordó el día en que "cruzó" el río Jordán y entró en la tierra de Canaán; recordó cómo *Adonai* su Di-s se le había aparecido en el Monte Moriá con la promesa de que su semilla heredaría la tierra. *Avram* (su nombre antes de que Di-s hiciera un pacto con él) había respondido a la promesa de Di-s al construir un altar en el lugar donde Adán una vez sirvió al Señor —fuera del límite del santuario del jardín. *Avram* se había movido hacia el este desde *Beit El* (Casa de Di-s) a una montaña conocida por su aceite de oliva. Se ha dicho que desde esa montaña una paloma arrancó una hoja de olivo de un *etz shemen* (árbol de aceite) para presentársela a Noé. *Avram* había plantado su tienda allí y, de nuevo, construyó un altar a *YHWH*.

Mientras estaba sentado, calentado por el fuego, la mente de *Abraham* regresó a su vida. Recordó "el día" casi cuarenta años antes, el día *catorce* del primer mes, cuando vio a la Divina Presencia pasar a través de la mitades de los animales en forma de una antorcha encendida y un horno humeante. *Adonai* su Di-s había hecho un pacto con *Avram* como lo haría un padre con su hijo. *Avram* sabía con certeza que la tierra que Di-s prometió a sus descendientes era una herencia eterna — una concesión real basada en su lealtad y fidelidad al Único Verdadero Di-s.

Abraham, ahora bien avanzado en años, recordó cuando *Adonai* confirmó que se convertiría en el "padre" de una multitud de naciones a través de su descendencia. *Avram* había tenido alguna duda, ya que no tenía heredero en ese momento, pero también se había maravillado de la promesa de Di-s de que reyes saldrían de sus entrañas y del vientre de Sara en su vejez. Un *Brit Milah* (Pacto de Circuncisión) selló el destino eterno de su simiente, y el regalo de un nuevo nombre aseguró el estado legal de *Abraham* como rey.

Abraham entonces recordó el temor que sintió cuando Di-s le dejó en claro que su semilla experimentaría un amargo exilio y esclavización bajo opresores extranjeros tanto en Canaán como en Egipto. Esto duraría *cuatrocientos* años. Pero *Abraham* se consoló sabiendo que, en la cuarta generación, su descendencia real volvería a tomar posesión de la tierra. Consideró el significado del número *cuatro*, que simbolizaría el mundo natural, como los cuarenta días que tarda un embrión en formarse o las cuarenta semanas para el nacimiento de un niño. *Abraham* sabía cuatro tiempos significantes de gran sufrimiento, dificultad y tribulación seguidos por nueva creación: el nacimiento del Reino de los Cielos en la tierra de su descendencia.

Abraham reflexionó sobre su movida hacia el sur hasta el Negev y la ciudad de *Beersheva* (pozo de siete, juramento). Construido en las orillas de un cauce, la ciudad se encuentra estratégicamente ubicada en la principal ruta comercial para los caravasares en el extremo sur de la tierra agrícola principal. Conocido por su fácil acceso a abundantes manantiales subterráneos, era un respiro para aquellos que viajaban a través del árido paisaje. Fue en *Beersheva* donde *Abraham* y el rey de Gerar, *Avimelech* (mi padre es el rey), hicieron un pacto que le dio a *Abraham* la propiedad del pozo que había excavado, así como de la tierra circundante. *Avimelech*, por su parte, aceptó el ofrecimiento de siete corderos de *Abraham* y se convirtió en testigo de la concesión real. *Abraham*, en respuesta, plantó un huerto en *Beersheva* declarando a *YHWH* el eterno *D-os*. El huerto era una reminiscencia del jardín prístino del Eterno — su tierra real, en el Edén, el centro de la creación. Fue poco tiempo después, cuando *Abraham* tenía 100 años, cuando nació su hijo *Isaac*.

Rompiendo con la meditación de *Abraham*, *Isaac* se unió a su padre junto a la fogata. Los dos intercambiaron sonrisas mientras estaban frente a las montañas de Jerusalén. Juntos oraron, "*Shema Israel Adonai Eloheinu Adonai Echad*" (Oye, Oh, Israel el Señor nuestro Di-s, el Señor es Uno), y agregaron, "*Baruch Shem Kevod Malchuto L'olam V'aed*" (Bendito sea el Nombre de Su Glorioso Reino por siempre).

Una voz resonante rompió la soledad; se dividió en llamas de fuego y sacudió el campamento. Padre e hijo se quedaron asombrados. La voz llamó a *Abraham*, quien respondió, "*Hineini*" (¡Aquí estoy)! Di-s dijo: "Toma a tu único hijo engendrado, *Isaac*, a quien amas; ve a la tierra de Moriá, y haz que ascienda como un *olah* (una ofrenda elevada) en una de las montañas. "*Isaac* solo vio la voz; él sabía que la Presencia Divina estaba en medio de ellos.

Avraham dio vueltas toda la noche. Levantándose temprano, todavía cansado de solo unas pocas horas de sueño, se apresuró a hacer los preparativos para el viaje de tres días. Eligió a dos jóvenes de sus siervos de confianza, muy familiarizados con las peculiaridades de la familia. *Avraham* cortó los troncos de cedro en trozos más pequeños y luego cargó el burro con la madera partida. *Isaac*, que había estado durmiendo profundamente, fue despertado por los intermitentes rebuznos del animal. Los dos jóvenes continuaron empacando los suministros necesarios: comida, agua, aceite para las antorchas y armas para protección.

Abraham, Isaac y los dos jóvenes partieron caminando hacia el norte. Inicialmente, hicieron un buen tiempo debido al terreno llano. Sin embargo, una vez que llegaron a la región que bordea las montañas que conducen a *Hebrón*, la escalada fue difícil. El viaje se hizo arduo y en ocasiones incluso peligroso. En algunos lugares, las calzadas eran casi intransitables — dañadas por las lluvias de invierno. Se sentían amenazados por el constante aullido de animales salvajes. Los cuatro presionaron — expuestos a los elementos y el peligro de bandas itinerantes de merodeadores. Estuvieron visiblemente aliviados cuando llegaron a las afueras de *Hebrón* sin incidentes. Caras familiares los saludaron ofreciendo provisiones frescas, un lugar para pasar la noche y agua limpia de la cisterna local para lavarse y beber.

Cuando los primeros rayos del sol aparecieron sobre el horizonte, *Abraham* se inclinó hacia Jerusalén. Dio instrucciones a sus dos jóvenes para que permanecieran junto a la Cueva de Macpela — el sitio de sepultura de Adán y *Chava* (Eva) y durante mucho tiempo se consideró la entrada al paraíso del jardín. *Isaac* se ofreció llevar lo que se necesitaba para el resto del viaje. *Abraham* cargó la madera partida sobre la espalda de *Isaac*, pero él mismo cargó el fuego y el cuchillo. El hijo se preguntó en voz alta dónde encontrarían un cordero para el *olah*; *Abraham* le aseguró que Di-s proporcionaría un animal.

Confiados en su misión, padre e hijo ascendieron como uno al lugar donde el Señor "sería visto". La subida era empinada y el terreno desigual. *Abraham* se encontró sin aliento a veces, pero alzó los ojos a las montañas y supo que la ayuda vendría del Señor. Sabía que *Adonai Tzva'ot* (Señor de los Ejércitos) los protegería del mal y cuidaría de ellos. *Abraham* sintió que estaban entrando en otra dimensión de tiempo y espacio, donde la Divina Presencia los envolvía en el refugio de Sus alas. Trascendiendo del mundo natural, entraron en una esfera sagrada, un lugar único, situado entre el cielo y la tierra.

Abraham reconstruyó el altar que había erigido años antes. Estaba en ruinas — sus piedras estaban cubiertas de polvo esparcidas por el suelo. Con cuidado deslizó las piedras sin labrar de nuevo en su lugar para crear cuatro paredes con una superficie plana en la parte superior. Luego construyó una rampa. *Isaac* observó en silencio cómo su padre completaba la tarea y volvía a dedicarle el altar. *Abraham* encontró algo de cedro para alimentar la ofrenda. Luego, al igual que los sacerdotes antes que él, se paró sobre el altar y dispuso la madera en forma de una pequeña torre — más ancha en la parte inferior y más estrecha en la parte superior. Dejó algunos agujeros pequeños para permitir que el aire circulara.

Abraham entonces ató a su hijo con cuerdas de hierba de caña. *Isaac*, llorando, le preguntó por qué su padre lo había abandonado. *Abraham* ató las manos de su hijo a sus pies detrás de él y cuidadosamente lo colocó sobre la madera. La cabeza del hijo estaba dirigida hacia el sur con su rostro hacia el oeste; el padre estaba mirando hacia el oeste, hacia el monte Moriá.

Abraham, abrumado por la emoción y apenas respirando, luchó para contener las lágrimas. Miró fijamente hacia la montaña occidental — hacia el lugar donde descansaba la Divina Presencia. Agarrando el cuchillo afilado en su mano derecha, lo levantó hacia su hombro y luego sujetó su mano izquierda para atrapar la sangre. El hijo miró hacia el cielo, vio que los cielos se abrían y escuchó un ángel que cantaba alabanzas: "¡Digno es el carnero que fue *asesinado* para recibir poder y riqueza, sabiduría y poder, honor, gloria y bendición para siempre!" Justo cuando *Abraham* estaba listo para realizar la *shechita* (matanza ritual) y degollar al hijo, el Ángel del Señor gritó: "*Abraham, Abraham,* no levantes tu mano contra el joven ni le hagas nada. Sé que eres un temeroso de Di-s más, de la línea real de *YHWH*, ya que no has retenido a tu hijo, tu único hijo, de mí. El alivio inundó el alma de *Abraham*, y se consoló con las palabras del ángel.

Una ligera brisa se elevó. Las hojas de olivo crujieron detrás de *Abraham*. Se dio la vuelta y vio un carnero de color marrón oscuro, musculoso — sus cuernos, el símbolo del poder real, se entrelazaban en las espinas de un olivo. *Abraham* imaginó el aceite sagrado llenando los cuernos del carnero y luego lo derramó sobre la cabeza de su hijo. Lleno de alegría, nombró el lugar, *Adonaí Yireh*, "el Señor será visto". El ángel del Señor habló de nuevo: "Como no retuviste a tu hijo, tu único hijo, te bendeciré abundantemente y multiplicaré tu semilla como las estrellas del cielo y la arena en la orilla del mar. En tu simiente, todas las naciones de la tierra serán bendecidas". ¡*Abraham* comprendió que le estaba entregando a su hijo, *Isaac*, a *Adonaí* para convertirse en el rey ungido, el *mashiach* (mesías).

Abraham ató el carnero en el altar. Él cortó su garganta en un movimiento rápido con su mano derecha y recibió la sangre en su izquierda. Con su dedo índice, roció sangre siete veces mientras miraba hacia el oeste, hacia el *Beit El* (Casa de Di-s). Bajó por la rampa, encendió la madera de cedro y observó cómo se consumía el animal. El olor mordaz del *olah* se demoró mientras el humo disminuía. Todo lo que quedaba eran las cenizas. *Abraham* entendió que por medio del sufrimiento Di-s proveería el sustituto perfecto. Levantó las cenizas y las dejó en un montón en la base del altar.

Abraham recogió su cuchillo y descendió la montaña solo. Físicamente agotado y agotado emocionalmente, estaba ansioso por regresar con su esposa, Sara, que permaneció en *Beersheva*. Ella había expresado serias dudas sobre el viaje. Mientras viajaba, *Abraham* oró para que, en tiempos de exilio y opresión, sus descendientes recordaran la atadura de *Isaac*. Oró para que la unión restaurara el pacto roto y renovara la relación de su familia con el Rey del Universo.

Saludó a sus dos jóvenes que todavía estaban acampados junto a la Cueva de Macpela. Mientras los tres viajaban hacia *Beersheva*, *Abraham* nunca discutió lo que sucedió en la montaña. Los jóvenes, que secretamente se preguntaban por qué *Isaac* no había regresado con su padre, nunca preguntaron.

Isaac permaneció paralizado en la Presencia del Todopoderoso—protegido en un mundo más allá del tiempo—oculto en el Lugar Santísimo del cielo. Nubes llenas de humo de mirra aromática cubrían el espacio sagrado. Sentado a la diestra del Rey Celestial estaba Su Sumo Sacerdote eterno, el Uno cuya sangre rociada restauró el pacto roto de la Creación—incluso antes de la fundación del mundo. *Isaac* estaba paralizado por el brillo de zafiro que irradiaba el firmamento. Observó las generaciones de la humanidad tejidas en la cortina celestial. ¡Ahora lo entendió! Su atadura sirvió como precursor para Aquel que restauraría permanentemente la brecha en el pacto. Su atadura consolidó la relación entre el rey y el siervo, padre e hijo, y finalmente entre el Cielo y la Tierra. Su atadura en el mundo natural presagió lo eterno. ¡Vio a un carnero sacrificado, levantado, ungido y entronizado como Rey de Reyes e Hijo de Di-s!

**Nota del autor: La Biblia no está clara qué ofrenda representó *Isaac*. Es posible que la atadura esté conectado a tres ofrendas diferentes: el cordero de la Pascua, el holocausto y/o la novilla roja. Éxodo Rabbah (15:11) vincula el *Akeidah* (la atadura de *Isaac*) con la ofrenda del cordero pascual. El libro de los Jubileos (17.15, 18.3, 18-19) declara que la redención de *Isaac* tuvo lugar en la Pascua. Pesikta *Rabbati* (37) explica cómo los patriarcas se levantarán de sus tumbas en Nisán (estación de la Pascua) para rendir homenaje al Mesías sufriente. Targum *Neofiti* en Levítico (22:27) sugiere que todos los corderos sacrificiales son simbólicos de *Isaac*—incluidas las ofrendas de elevación diaria (quemadas). La ofrenda quemada era a menudo un carnero en días especiales como el *Shabbat*, la festividad de la Luna Nueva, Pascua y el Año Nuevo. La mayoría de los comentarios dicen que la *Akeidah* fue una ofrenda vinculada a *Rosh HaShaná*, el Año Nuevo judío y el soplo del cuerno de carnero. La coronación del rey es un tema central para *Rosh HaShaná*; soplar el *shofar* era parte del ritual de entronización. Todo este evento parece prefigurar al siervo sufriente, *Yeshúa*, crucificado en Pascua, levantado y coronado como rey en *Rosh Hashaná*.

Unico Hijo Engendrado

La *Akeidah* o atadura de *Itzjak / Isaac* (Génesis 22) es una de las historias más conocidas de la Biblia y la más importante para el pueblo judío. Es parte de la liturgia que se lee todos los días en la mañana y en *Rosh HaShaná* (Año Nuevo). ¡Una historia intrigante, sin duda! Pero tiene poco sentido para la mente moderna. ¿Cómo podría un misericordioso Di-s pedirle a un hombre que mate a su propio hijo? ¿Con qué propósito? Las representaciones de *Abraham* ofreciendo a su hijo abarcan toda la gama de arte, música, literatura e incluso cultura popular. Considere la canción de Bob Dylan "Highway 61 Revisited".

Oh, Dios le dijo a *Abraham*, "Mátame un hijo"
Abe dice: "Hombre, debes estar probàndome"
Dios dice: "No", Abe dice: "¿Qué?"
Dios dice: "Puedes hacer lo que quieras Abe, pero
La próxima vez que me veas, será mejor que corras"
Bueno, Abe dice, "¿Dónde quieres que se haga esta matanza?"
Dios dice: "Fuera en la Autopista 61".

A lo largo de los siglos, los eruditos han diseccionado, analizado y expuesto estos versículos en un intento de explicar lo aparentemente inexplicable. Es una historia *agadádica* en la que los eventos son reales pero hay un significado oculto o alegórico. Parte del lenguaje indica que la narración puede estar vinculada a un ritual de entronización AMO.

Adonaí le dijo a *Abraham*: "Ahora toma a tu hijo, tu único hijo, a quien amas — *Isaac* (*Itzjak*) — e id a la tierra de Moriá. Ofrécele allí para una ofrenda de *Olah* [quemada o elevada] en una de las montañas acerca de la cual te diré" (Génesis 22:2). El término "amado" (del cual esta es la primera vez que aparece en la Biblia) es sinónimo de lealtad, el principal atributo de un pacto en el AMO entre un rey/padre y su siervo/hijo. Di-s le prometió a *Abraham* que reyes saldrían de su línea, así como de Sara (Génesis 17:6,15). Desde que *Isaac* fue el hijo producido de su unión, como heredero del trono se convirtió en "aquel a quien el padre amaba". Esto no significaba que él era el único hijo de la familia que amaba al padre, sino que era el hijo elegido por Di-s para heredar el trono. Del mismo modo, que Jacob amaba a José más que a todos sus otros hijos, lo que significa que José era el hijo destinado a convertirse en rey. José se levantó para ser visir en Egipto — el segundo al mando solo para Faraón que era visto como un dios.

"Tu único y unigénito" también se refería al hijo que se convertiría en rey y, como tal, sería designado el primogénito. El rey David no era el primogénito de Isaí; pero como el hijo elegido para gobernar, se convirtió en el primogénito de Di-s. De hecho, el nombre de David significa "amado". El Rey David reconoció a *Yahweh* como su Padre cuando dijo: "Tú eres mi padre, mi Dios y la roca de mi salvación." *Yahweh* respondió: "Lo pondré como primogénito, el más alto de los reyes de la tierra"(Salmo 89:26,27).

En estos últimos días, Él nos ha hablado a través de un Hijo, a quien ha nombrado heredero de todas las cosas y por medio de quien ha creado el universo. Este Hijo es el resplandor de Su gloria y la huella de Su ser, sosteniendo todas las cosas por Su palabra poderosa... Porque ¿a cuál de los ángeles dijo Dios alguna vez, 'Tú eres mi Hijo?' ¿Hoy me he convertido en tu padre?' "Y otra vez: '¿Seré para él un Padre, y Él será para mí un Hijo?' Y nuevamente, cuando traiga al primogénito al mundo...

(HEBREOS 1:2-6)

El heredero al trono se convirtió en la posesión más preciada de su padre. *Segula* significa un "tesoro peculiar", que los *Targums* judíos traducen como "amado". Las posesiones más preciadas del rey incluían su reino y trono, pero lo más importante, su amado rey-hijo. Los reyes de Mesopotamia eran llamados el "tesoro peculiar" de sus dioses. Los textos hititas sugieren que *segula* o "amado" se refiere al estatus especial del nuevo rey (citado en Carpenter, 2009: 408n). Israel fue elegido como la posesión preeminente de Di-s, su heredero primogénito, para gobernar las naciones con el Pacto de *Yahweh*: la Torá (Deuteronomio 7:6).

Si escuchas atentamente mi voz y guardas mi pacto, entonces serás mi propio tesoro de entre todas las personas, porque toda la tierra es mía. En cuanto a ti, serás para Mí un reino de *Kohanim* y una nación santa.

(ÉXODO 19: 5,6)

En Mesopotamia y Egipto, la monarquía era sinónimo de poder político. Esto dio lugar al concepto de filiación divina. Un rey-hijo en el AMO era elevado al estado divino a través de la adopción. Era coronado durante el festival anual de Año Nuevo y recibía nombres especiales de coronación. El rey-hijo era el encargado de gobernar el Cielo y la Tierra. Israel adoptó la gobernación divina como su forma oficial de gobierno. Una vez que el rey era adoptado por *YHWH*, se convertía en su representante divinamente designado en la Tierra y se desempeñaba como administrador del gobierno. En Israel, existía un vínculo especial entre Di-s y Su rey — comparado a una relación padre/hijo. Esta relación podía estar implícita cuando *Abraham* e *Isaac* "caminaron juntos como uno" cuando ascendieron a la montaña del Señor.

Adonaí prometió levantar la simiente de David, Salomón, para construir una casa y establecer la dinastía real para siempre. "Yo le seré un Padre, y él será un hijo para Mí" (2 Samuel 7:14). David tuvo muchos otros hijos, por supuesto, pero fue Salomón quien estaba destinado a gobernar el reino, y al hacerlo se convirtió en el hijo adoptivo de *Yahweh*. La adopción también significaba que el heredero se había convertido en la "encarnación" de su padre.

> Como una encarnación o hijo —en cualquier caso el representante— de la deidad (creadora) sobre la tierra, se entendía que el rey era el garante terrenal del orden de la creación. Sobre él y sus actos dependían la fertilidad de la tierra así como la justicia social y el orden político del estado. Aparte de esta referencia al orden de la creación, es imposible comprender las numerosas formas y formulaciones basadas en la ideología de la monarquía.
>
> (SCHMIDT 1984:105)

La entronización del rey estaba vinculada a un nuevo nacimiento. En su acceso, el hijo se convertía en el único engendrado de su padre. "Tú eres mi hijo hoy, te he engendrado" era una fórmula del AMO (que se encuentra en el código de Hammurabi) para su aprobación. Como rey, David proclamó: "Declararé el decreto de *Adonaí*. [*Adonaí*] me dijo: "Tú eres mi hijo; hoy he llegado a ser tu Padre (te he engendrado). Pídeme, y yo te daré las naciones como tu heredad, y los confines de la tierra como tu posesión'" (7,8). De manera similar, *Yahweh* habló de *Yeshúa*, "Tú eres Mi Hijo; hoy he llegado a ser tu Padre" (Hebreos 5:5).

En el Salmo 110, *Yahweh* invitó a David a compartir Su trono. "Tu pueblo se ofrece libremente el día que conduces a tu anfitrión a las montañas santas. Desde el vientre de la mañana como el rocío, tu juventud vendrá a ti" (3 RSV). Barker propone que, "El día que diriges a tu anfitrión", se podría traducir como "el día de tu nacimiento", ya que el nacimiento y el anfitrión son expresiones similares en hebreo. También sugiere que "tu juventud vendrá a ti" debería traducirse "Te engendré" (2014: 74,75). Engendrado es la palabra hebrea *yalad* que significa "nacer". *Toldot*, una variación de *yalad*, significa "tener hijos". El primer uso de *toldot* se refiere a la unión entre el Cielo y la Tierra cuando fueron creados (Génesis 2:4). Visto en un contexto de matrimonio, su unión produjo nueva vida: el Reino de los Cielos nació en la Tierra. Adán fue el primogénito de esta dinastía real para gobernar el reino. La historia de Adán continuó, a través de Set hasta Noé (Génesis 5) y Moisés, desde *Abraham* hasta el Rey David, y hasta el Segundo Adán, *Yeshúa* el Mesías.

Según Margaret Barker, el establecimiento del Reino en la Tierra y el nacimiento del rey-hijo eran el mismo evento (2014: 124). La mujer en Revelación (12:1) dio a luz a un hijo, un hijo varón, que gobernaría las naciones con una vara de hierro. Este es el rey davídico (Salmo 2), cuyo nacimiento era sinónimo de su acceso al trono. El hijo varón, el hijo adoptivo del Altísimo, se presenta como el asiento del Rey David. En la inmersión en agua de *Yeshúa*, una voz del Cielo habló: "Tú eres mi hijo, a quien amo; en quien tengo complacencia" (Lucas 3:21,22 cita del Salmo 2:7). Este es un lenguaje de entronización; el hijo amado se está convirtiendo en rey.

Adán pudo haber tenido padres terrenales. Su "formación" del polvo podría indicar un evento de coronación: un hijo levantado desde un nivel más bajo de santidad (el polvo) para convertirse en rey. Adán fue llamado *Ben Elohim* (Lucas 3:38) que significa "Hijo de Di-s". A los reyes del AMO se les dio el título de "hijo de Dios" en su entronización. Los Rollos de Qumrán declaran que el Mesías "será proclamado Hijo de Di-s; se le llamará Hijo de Di-s Altísimo" (4Q246). Cuando el ángel Gabriel se le apareció a *Miriam*, la madre de *Yeshúa*, él le dijo que su hijo sería poderoso, que se llamaría *Ben Elyon* (Hijo de Di-s), y que se le otorgaría el trono de David.

El ascenso de un rey al trono "incluía la exaltación, la unción, convertirse en el Hijo y gobernar en juicio" (Barker 2014: 204). El rey-hijo dejó el reino terrenal y entró en lo celestial; él ya no era descendiente de padres terrenales. El nuevo rey era ahora el Hijo de su Padre, Di-s. El enigmático *Melquisedec* — Rey de *Salem*, *Kohen* del Dios Altísimo (Hebreos 7:3) — se describe como sin tener principio de días ni fin de vida (hecho como *Ben Elohim*). *Melquisedec* no tenía genealogía "humana", es decir, no tenía madre ni padre terrenales. Tal vez esto alude a un ritual de coronación en el que el rey-hijo había sido adoptado oficialmente por su padre, Di-s. Esto también puede arrojar luz sobre la declaración críptica de *Yeshúa*, "¿Quién es mi madre? ¿Y quiénes son mis hermanos?" (Mateo 12:47-50). Como Rey e Hijo de Di-s, *Yeshúa* ya no tenía madre o hermanos "terrenales". Su familia se convirtió en aquellos que harían la voluntad del Padre de promover Su reino.

Abraham fue encomiado por no retener a su hijo. Esto sugiere algo relacionado con la entronización de *Isaac*. *Abraham* estaba entregando a su hijo para que le sirviera a *Yahweh* como rey, y *Yahweh* se había convertido en el Padre de *Isaac*.

> Por mí mismo juro (los juramentos y los convenios eran términos sinónimos) — es una declaración de *Adonai* — porque has hecho esto, y no has retenido a tu hijo, tu único hijo, te bendeciré abundantemente y multiplicaré generosamente tu semilla como las estrellas del cielo y como la arena que está a la orilla del mar, y tu simiente poseerá la puerta de sus enemigos. En tu simiente, todas las naciones de la tierra serán bendecidas, porque tú obedeciste a Mi voz.
>
> (GÉNESIS 22:16-18)

En el AMO, los dioses ejercían el poder a través de sus reyes. El deber del rey era mantener y conservar el orden creado, y así el rey-hijo se convertía en el canal por el cual la prosperidad y la fertilidad fluían al pueblo. Un rey benevolente aseguraba que el reino floreciera; aseguraba bendiciones materiales y espirituales, levantaba a los pobres y protegía a los oprimidos de la dominación extranjera. Como juez imparcial, él gobernaba sobre los asuntos económicos, judiciales, sociales y morales del reino para que el reino no cayera en caos.

En resumen, el orden cósmico, político y social del Antiguo Cercano Oriente encontraba su unidad bajo el concepto de "creación". Solo a partir de este contexto es posible entender por qué en todo el Antiguo Cercano Oriente, incluyendo a Israel, una ofensa en el ámbito jurídico obviamente tenía efectos en el ámbito de la naturaleza (sequía, hambruna) o en la esfera política (amenaza del enemigo). La ley, la naturaleza y la política son solo aspectos de un orden integral de creación. Este carácter comprensivo y su apreciación fundamental del orden de la creación encontraron una vívida expresión en la ideología de la monarquía del Antiguo Cercano Oriente.

(SCHMIDT 1984:105)

De acuerdo con N.T. Wright, la gente del primer siglo entendía que el mundo funcionaba mejor cuando era gobernado por un mayordomo sabio que era humilde ante Di-s. Esto permitía al rey poner orden en el mundo y ser responsable del poder que le fue dado. "Di-s quería que su mundo fuera ordenado bajo el gobierno de los humanos, pero eso no significaba que todo lo que los gobernantes humanos hicieran lo que era correcto. Significó que los gobernantes humanos eran responsables ante Dios" (2012: 169) quien era el juez supremo sobre los asuntos de los hombres.

Uno de los versículos más citados del Nuevo Testamento contiene lenguaje de entronización:

Porque Di-s amó tanto al mundo, que dio a su Hijo unigénito, para que todo el que cree en Él no se pierda, sino que tenga vida eterna... El que cree en Él no es condenado. El que no cree ya ha sido condenado, porque no ha creído en el nombre del único Hijo de Di-s.

(JUAN 3:16, 17)

El "único y unigénito" es el hijo adoptivo de *Yahweh, Yeshúa* el Mesías, que sufrió y murió en un madero para restaurar el Reino de los Cielos en la Tierra. Él venció la muerte para traer liberación (salvación) para aquellos esclavizados por los tiranos del mundo — las bestias y los monstruos en el campo. *Yeshúa* juzgó a los enemigos de su Padre — liberando a aquellos encadenados a los reinos de este mundo. "Una vez que se pierde el tema del reino que es central en los evangelios, todo se reinterpreta de maneras que sustituyen un mensaje diferente del Evangelio" (Wright 2012: 158). Wright agrega que este versículo se ha interpretado en el contexto de la salvación personal, pero, en realidad, se está dirigiendo al gobierno de Di-s sobre toda la tierra.

El Ungido

Tu palabra es lámpara a mis pies y una luz a mi camino.

(SALMO 119:105)

Los rituales de coronación en el mundo antiguo transformaron al siervo/hijo de ser humano a un rey divino. En Egipto, la ceremonia de entronización elevó formalmente el estatus legal del rey al de un dios. El rollo de Isaías (52:14) de Cumrán alude a esto. Barker sugiere que el texto en Isaías no debería haber sido traducido como "el que se desfiguró (*mashchat*) más allá del parecido humano" sino "el ungido (*maschach*) que ya no parecía un ser humano común" (2000:6). "La identidad celestial y terrenal de Jacob, el Hombre que durmió en *Beit El* (casa de Di-s) era al mismo tiempo una imagen en el trono en el cielo" (Génisis *Rabbah* 68.12). Orígenes (erudito griego y teólogo cristiano temprano) explicó que la Oración de José, un texto judío, revela algo similar: "Tanto un hombre en la tierra como un ángel en el cielo, yo, Jacob, que te estoy hablando, también soy Israel, un ángel de Di-s, y un espíritu gobernante" (citado en Barker 2014: 129). Jacob/Israel, el siervo, se transformó en *Beit El* para convertirse en el gobernante de la nación bajo la soberanía de Di-s. Pablo describe a *Yeshúa* como el divino Hijo de Di-s, el Rey de Reyes, quien es, "la imagen del Dios invisible" y "el primogénito de la creación".

Porque en él fueron creadas todas las cosas, en el cielo y en la tierra, lo visible y lo invisible, ya sean tronos o poderes angélicos o gobernantes o autoridades. Todo fue creado por medio de Él y para Él. Él existe antes que todo, y en Él todo se mantiene unido. Él es la cabeza del cuerpo, su comunidad. Él es el comienzo, el primogénito de entre los muertos. Porque a Di-s le complace tener toda Su plenitud habitando en Él.

(COLOSENSES 1:15-20)

En la transfiguración, la forma de *Yeshúa* fue cambiada; su rostro resplandecía como el sol, sus ropas se volvieron blancas como la luz, y se vio eclipsado por una nube brillante, lo que significaba que la Presencia de Di-s lo había ungido como rey. Con su condición real confirmada, el Padre declaró: "Este es Mi Hijo, a quien amo; con Él me complaceré" (Mateo 17:5). La transfiguración tuvo lugar el séptimo día en una montaña alta que es un símbolo para un templo. Los siete días de la creación son un patrón para la entronización. Di-s descansó (tomó el trono) en el séptimo día; Su Presencia entró en su Templo Cósmico para gobernar. "Los siete días no se dan como el período de tiempo sobre el cual el cosmos material llegó a existir, sino el período de tiempo dedicado a la inauguración de las funciones del templo cósmico" (Walton 2009: 91).

En el antiguo Israel, una entronización se llevaba a cabo en etapas. La primera fase consistía en presentar la insignia real, ungir con aceite y recibir la aclamación del pueblo. En la segunda etapa, el rey tomaba su asiento en el trono y los funcionarios de la corte le rendían homenaje (De Vaux 1961: 102). *Solomon* montó la mula de su padre hasta el manantial de Gijón para la primera etapa de su coronación. El burro era el montaje de honor tradicional, así que montar la mula del rey David era reclamar el trono. *Sadoc*, el sacerdote, derramó aceite de la unción del cuerno de carnero sobre la cabeza de Salomón—para formar una corona. Mientras se sonaba el *shofar*, la multitud rugió, "¡Larga vida al rey Salomón!" (1 Reyes 1:38,39). Esto confirmó que el pueblo había aceptado la elección de *Yahweh* como rey. Entonces Salomón ascendió a la montaña para tomar su asiento en el trono.

Seis días antes de la Pascua, *Yeshúa* viajó a Betania (ubicada en el Monte de los Olivos) a la casa de Lázaro a quien *Yeshúa* había resucitado de entre los muertos. *Miriam* ungió sus pies con aceite y los secó con su cabello; la fragancia del aceite perfumado llenó su casa. En el relato de Marcos y Mateo, una mujer derrama aceite caro sobre la cabeza de *Yeshúa* en la casa de Simón el Leproso (Marcos 14:3; Mateo 26:7). En la antigua Mesopotamia y Asiria, empaparse con aceite perfumado era un rito de purificación que pertenecía únicamente a los dioses, las familias reales y a altos funcionarios. El aceite se usó para limpiar los pies del dios (Feliu 2003: 104).

Esta unción con aceite era un acto ritual en preparación para su entierro, así como su acceso al trono. Al día siguiente, cuando *Yeshúa* entró a la ciudad, muchas personas se alinearon en el camino hacia Jerusalén agitando ramas de palmeras. Extendieron sus mantos delante de él y gritaron en aclamación: "¡Hosanna al Hijo de David! ¡Bendito el que viene en el nombre del Señor!" Al montar un asno en Jerusalén, *Yeshúa* estaba reclamando el trono. El séptimo día, Pascua, fue crucificado. Resucitado de los muertos, el rey marcó el comienzo de un nuevo reino que llenaría la tierra a través de sus portadores de imágenes.

El aceite usado para ungir a los reyes y sacerdotes de Israel vino del olivo. La *menorá* de siete brazos se comparó con un *etz shemen*: un árbol de aceite. En Mesopotamia, la morada celestial de la deidad estaba representada por la arboleda del templo. Su árbol sagrado era el rey, el jardinero de la deidad "que fue ungido con aceite del árbol sagrado, coronado con una corona de sus hojas y flores, y tenía una vara o cetro de sus ramas" (Widengren 1951: 42).

Enoc describió la *menorá* como el Árbol de la Vida, que según el *Apocalipsis de Moisés* (9) era un olivo cuyo aceite era una gran luz y cuya unción era excelente (*Legends of the Jews*, Vol. 5). David se llamó a sí mismo un olivo verde en la Casa de Di-s (Salmo 52: 8). En la visión de Zacarías, dos olivos estaban de pie a cada lado de una *menorá*. Extendiéndose de sus ramas había dos conductos dorados de los cuales se vertía aceite en los cuencos de la *menorá*. Zacarías identificó los "dos árboles de olivos" como *Yeoshúa*, el sumo sacerdote, y *Zerubabel*, el príncipe que sirvió como gobernante de la nación. Llamados los hijos del aceite, estos dos se mantuvieron como los ungidos que reconstruirían el Templo (Zacarías 4:1-14) para que la Presencia de Di-s pudiera regresar.

Las descripciones de la *menorá* (Éxodo 25:31-40; 37:17-24) la comparan con un árbol con ramas que se extienden desde un eje central. Los escritos de Philo sugieren que la *menorá* era el "Árbol de la vida" en el santuario del jardín (*Questions on Genesis* 1:10). Enoc vio un árbol de oro y fuego en el jardín que también lo identificó como el Árbol de la Vida (2 Enoc 8:3,4). En el AMO, el tronco de un árbol de la vida era el símbolo ritual tanto para el dios como para su rey (Widengren 1951: 42). Philo dijo que el eje central de la *menorá* representaba al rey que era un ser angelical en el Tabernáculo celestial, así como el sumo sacerdote estaba en el Templo terrenal (Heir 215, 216).

Barker dijo que la *menorá* era igualmente a la Presencia

de Di-s con su pueblo y el símbolo de la dinastía. Clemente de Alejandría concluyó que *Yeshúa* era la *menorá* vinculada al árbol real (Stromata v.6). Finalmente, el Targum on Genesis (Jonathan) sugiere que Etz Chaim, el Árbol de la Vida, era la Torá llena de frutas que nutría a los justos que eran como árboles plantados en el agua. El candelabro era un árbol estilizado que se remontaba al Árbol de la Vida en el jardín. Era un reflejo de la Presencia de Di-s, y en el Templo estaba en el centro cósmico del universo (Meyers 1985: 546).

Proverbios (3:18) vincula la Sabiduría con un Árbol de la Vida cuyo fruto da sabiduría, cuyas hojas proporcionan sanidad, y cuyo aceite abre los ojos de los ciegos. El Rey Salomón fue dotado con sabiduría en su coronación. "Sabiduría que superó la sabiduría de todos los hijos del oriente y toda la sabiduría de Egipto" (1 Reyes 5:10). Ungir la cabeza del rey con aceite simbolizaba la sabiduría que se vertía en su mente. Pablo exhortó a los romanos a ser "transformados por la renovación de la mente" y no conforme al pensamiento del mundo (Romanos 12:2). El aceite de la unción era el Espíritu que renovó la sabiduría divina que proporciona la mente a los sacerdotes y reyes de Di-s.

Los sacerdotes del templo atendían la *menorá* todos los días: llenaban los cuencos con aceite de oliva puro, recortaban y/o reemplazaban las mechas, y reavivaban las llamas para que las lámparas ardieran durante toda la noche. El aceite estaba ligado a la renovación del reino del nuevo rey. La *menorá* se convirtió en un símbolo de luz espiritual y física que irradiaba al pueblo de la Casa de Di-s. Algunos eruditos han visto una conexión entre Aarón que tendía el candelabro en el Tabernáculo y la creación de Di-s de la luz del primer día. El sumo sacerdote representaba al Creador mientras atendía la *menorá* por las noches y por las mañanas. Tanto el Templo como la ciudad de Jerusalén fueron llamados "la luz del mundo" (Génesis *Rabá* 59). *Yeshúa* describió su Reino de *Sacerdotes* como la luz del mundo. Los comparó con una ciudad situada en una colina que no se puede esconder y con una lámpara en un candelabro que ilumina a todos en la Casa (Mateo 5:14,15).

En la unción del rey, el aceite se derramaba del cuerno de carnero. Un carnero simboliza liderazgo y autoridad; sus cuernos denotan fuerza y poder. "Por mi nombre [*Yahweh*] su cuerno [el Rey David] será exaltado" (Salmo 89:25). El hijo de Ana, Samuel (profeta y sacerdote) fue descrito como un cuerno levantado en alto. *Adonai* exaltó el cuerno de Su ungido cuando Samuel se convirtió en gobernante de Israel (1 Samuel 2:10). En *Rosh HaShaná* (Año Nuevo en el mundo antiguo), un *shofar* (trompeta) hecho de cuerno de carnero era soplado como parte de la coronación del rey. En la *Akeidah*, un carnero fue atrapado en un matorral por sus cuernos; se convirtió en la ofrenda sustituta de *Isaac*. Según el libro de Enoc, tanto David como Salomón eran ovejas antes de su acceso. Luego se transformaron en carneros una vez que fueron entronizados (1 Enoc 89:45,48).

En la Septuaginta, *arnion* se traduce como "cordero", pero también puede significar un carnero joven. La escena de la sala del trono en Revelación capitulo 5 representa un cordero/carnero con siete cuernos y siete ojos: los siete espíritus de Di-s enviados a toda la tierra. Los siete espíritus hablan del rey ungido que es el León de la Tribu de Judá, la Raíz de David, y el único digno de abrir el rollo. El cordero/carnero se levanta como rey para pastorear a su pueblo, y él los conduce a fuentes de agua viva (Manantial Guijón). Una multitud de cada nación está de pie ante el trono y ante el cordero/carnero. Vestidos con túnicas blancas que sostienen ramas de palma, gritan en aclamación: "La salvación pertenece a nuestro Di-s, que se sienta en el trono, y al Carnero" (Revelación 7:9).

Muchos de los eventos significativos en la vida de *Yeshúa* están vinculados a la entronización. En su concepción, un ángel le dijo a su madre, *Miriam*, que el *Ruach HaKodesh* (espíritu) vendría sobre ella, simbolizando la unción por la Presencia de Di-s. En el nacimiento de *Yeshúa*, fue llamado

Ben Elohim, Hijo de Di-s (Lucas 1:35), y los sabios del este vinieron a buscar a Aquel que nació como el Rey de los Judíos (Mateo 1:2). En su inmersión en agua, los cielos se abrieron y el Espíritu del Señor descendió como una paloma. Su realeza fue confirmada cuando la voz de Di-s declaró: "Tú eres mi Hijo a quien amo" (Lucas 3:22). En la transfiguración de *Yeshúa*, una nube lo cubrió, y una voz confirmó nuevamente su reinado, diciendo: "Este es mi Hijo a quien amo" (Mateo 17:5).

Sentado en el Monte de los Olivos, mirando al Templo, *Yeshúa* compartió con sus discípulos la "señal" de su venida; él dijo que verían al Hijo del Hombre viniendo en una nube con poder y gran gloria —lleno de la Presencia de Di-s (Mateo 24). Al entrar en Jerusalén antes de su crucifixión, *Yeshúa* recibió la aclamación del pueblo; agitando ramas de palmera reconociendo a *Yeshúa* como su rey (Juan 12:13). Algunos observaron mientras *Yeshúa* ascendiendo, y una nube, que es la Presencia de Di-s, lo recibió (Hechos 1:9). En la transfiguración (Lucas 9:31), Moisés y Elías hablaron de esta "partida" como el Éxodo (Lucas 9:31). En Revelación capitulo 5, los veinticuatro ancianos, los oficiales reales de la corte celestial, rinden homenaje al rey cuando se postran y adoran al cordero/carnero. El Mesías estaba sentado en el trono gobernando sobre su Reino.

✡   ✡   ✡

La siguiente historia *midráshica* libremente se basa en la narración del primer capítulo del Evangelio de Juan —un capítulo que sigue el patrón de la semana de la creación.

Elohim hizo retroceder las aguas del caos. Cuando apareció tierra seca, tomó su semilla eterna de una caja rectangular de oro puro y la preparó para su jardín. El jardinero maestro trabajó la tierra, plantó la semilla y regó su tesoro hasta que brotó.

La semilla produjo la Palabra de Di-s. Creció hasta convertirse en un poderoso Árbol de Vida cuyo majestuoso tronco sostenía un glorioso dosel que abarcaba la extensión de los cielos. Sus ramas se hincharon como si estuvieran llenas de aceite de oliva puro. Los cielos estaban en llamas; un denso humo envolvió la cámara celestial. Una luz brillante iluminó los rincones escondidos del mundo inferior y expuso las obras de la oscuridad. El Árbol de la Vida era la luz verdadera que vino al mundo, un mundo que se negó a reconocer la soberanía de *Elohim*. La Palabra fue nombrada *Ben Elohim*, Hijo de Di-s — un título de coronación. *Elohim* formó una Casa en la Tierra para su Hijo y luego colocó un trono de oro sólido, adornado con esmeraldas, turquesa y cornalina, a la derecha de Su trono.

La Palabra se puso una *ketonet* (túnica) de pieles y se convirtió en el portador de la imagen visible y en la encarnación de su Padre. Un Tabernáculo viviente lleno de la Presencia de *Elohim*, fue enviado al campo para reparar el pacto roto, para eliminar la maldición llamada muerte que se entrometió en la vida. El campo era un dominio que carecía de agua vivificante; espinos y cardos surgieron y dominaron el paisaje. La Palabra de Di-s trabajó en el terreno y, como otros hombres, fue sometida a las muchas dificultades de la vida en el campo. A diferencia de otros hombres, nunca rompió el pacto con su Padre. Por lo tanto, él disfrutó de la protección divina de *Elohim*.

La Palabra llegó a Galilea, el circuito inferior entre el Cielo y la Tierra. Era un jardín paradisíaco con un suelo rico que producía una abundancia de fruto de los árboles locales: nuez, palma, olivo e higuera. El Hijo de Di-s invitó a Felipe a convertirse en un asistente en su Reino. Luego vio a Nathaniel, el amigo de Felipe, descansando bajo el dosel de una higuera altísima — el símbolo de los reyes de Judá. La Palabra declaró a Nathaniel un faro de la verdad. Nathaniel proclamó su lealtad al Hijo de *Elohim*, el Rey de Israel. Pronto, verían el Cielo abierto y los ángeles ascendiendo y descendiendo sobre el Hijo del Hombre.

Con el tiempo, la simiente real sufriría una muerte tortuosa a manos de los tiranos crueles de la Tierra. Pero la Palabra resucitaría, vencería a los enemigos de *Elohim*, y tomaría su asiento a la diestra de su Padre. Mientras el Hijo fue colgado del árbol, en dolor y agonía inimaginables, él introdujo el glorioso Reino de *Elohim*. En ese árbol, en el centro de la creación donde el Cielo y la Tierra se encuentran, la Palabra de Di-s rompió la parte posterior del poder humano. La Palabra aplastó a las naciones con su cetro de hierro y destruyó sus corruptos imperios. Él eliminó la maldición, liberó a su pueblo del pacto y liberó a sus súbditos de la larga noche de opresión causada por aquellos que conspiraron contra *YHWH*.

En la resurrección del Hijo, el firmamento del Cielo se dividió y la Palabra regresó a la Casa de su Padre. Dejó atrás el *Ruach* de los *Elohim* para su pueblo del pacto para que pudieran gobernar la tierra en Sabiduría como sus reyes y *sacerdotes*. El Reino de *Elohim* avanzó en secreto; rompió las fortalezas enemigas, desplegando el arma más poderosa del reino: la VERDAD. Verdad para iluminar la plétora de mentiras contadas por los tiranos del mundo. La verdad para juzgar correctamente sus monstruosas hazañas. Verdad que libera el sufrimiento, el quebrantamiento y el dolor. Verdad que trajo sanidad, perdón de pecados y una nueva comunión con Di-s para aquellos que viven en el campo. Poco a poco, el reino se multiplicó, se expandió y llenó toda la tierra. A pesar de que el Hijo extendió su preciosa semilla en un suelo áspero y sin cultivar, todavía brotaba y producía exquisitos árboles y arbustos en flor; sus deliciosos árboles frutales continuamente reemplazaban las espinas y los cardos del campo.

Después de que el Verbo resucitó de entre los muertos, regresó a Galilea a la montaña donde había arreglado encontrarse con sus discípulos. Confirmó que se le dio toda la autoridad en el Cielo y en la Tierra y que estaría con ellos hasta el final de la era, cuando el Cielo y la Tierra finalmente se unirán y el jardín regresará.

Un Día, llamado Jubileo, el Templo de la Creación fue restaurado a su estado original. El rey ungido vino montado en su blanco corcel, en las alas de una nube, pasando por el portal del Cielo. Su túnica roja sangre todavía mostraba las manchas de su crucifixión. Lo acompañaba el ejército sacerdotal del Cielo, siervos como ángeles vestidos con finas vestiduras de lino blanco, también montando caballos blancos. La Palabra tomó su asiento en el trono de la Tierra, la montaña santa de *Elohim*, *Tziyon* (Zión), el jardín del paraíso, y comenzó a gobernar en el Espíritu de justicia y equidad.

Porque como los cielos son más altos que la tierra, así son Mis caminos más altos que tus caminos, y mis pensamientos más que tus pensamientos. Porque como la lluvia y la nieve bajan del cielo, y no vuelven allí sin haber regado la tierra, haciéndola brotar, dando semilla para sembrar y pan para comer, así será mi palabra que sale de mi boca. No volverá a Mí en vano, sino que logrará lo que yo pretendo, y tendrá éxito en lo que lo envié.

(ISAÍAS 55:9-11)

Monte De La Uncion

El Monte de los Olivos es el lugar para una serie de eventos en la Biblia. También se llama el Monte de la Unción, llamado así por sus muchos olivares. El aceite producido a partir del fruto de los árboles se usó para encender la *menorá* en el Templo y para ungir a los reyes y *sacerdotes* de Israel. Simbólicamente, el aceite era la Presencia de Di-s descansando sobre Sus reyes y llenando Su Casa. El Monte de los Olivos pudo haber sido el lugar de la *Akeidah* (la atadura de *Isaac*) cuando *Abraham* declaró: "En esta montaña se verá al Señor". Quizás esto era una alusión al aceite producido de los olivos que dieron Sabiduría (visión) a Sus reyes.

Parte de una cordillera montañosa en el lado este de la Ciudad Vieja de Jerusalén, el Monte consta de tres picos: el Monte de los Olivos en el centro, el Monte Scopus en el Norte y el Monte de la Corrupción en el Sur, que recibió el nombre de la adoración de ídolos promulgada por el Rey Salomón (1 Reyes 11:7,8). Formada principalmente de rocas sedimentarias, la montaña está compuesta de una sustancia suave y calcárea que no es buena para la construcción. Por lo tanto, comenzando en el tiempo del Primer Templo, en lugar de ser un lugar para casas y pueblos, la montaña se convirtió en un lugar para enterrar a los muertos.

Absalón, el hijo del rey David, intentó erigirse como gobernante de Judá, forzando a su padre a abandonar Jerusalén. David, de mala gana, ascendió por el sendero norte del monte, descalzo y llorando con la cabeza cubierta (2 Samuel 15:30). El rey legítimo se dirigió hacia el este como si fuera enviado al exilio. Este era un patrón familiar. Adán fue exiliado del jardín y se mudó al este en el campo. Judá fue expulsado de la tierra de Israel, exiliado al este en Babilonia, por el rey Nabucodonosor.

Cerca de la cima del Monte de los Olivos, se llevaba a cabo una ceremonia especial que marcó el comienzo de Rosh Chodesh (nuevo o cabeza del mes). Según la Mishná, "El ascenso al Rosh" (cabeza) subía a la montaña de olivos, que también se llamaba la montaña de *maschiach* (mesías). Tras la confirmación oficial de la corte del avistamiento de la luna nueva, se estableció un sistema de retransmisión para comunicarse con el resto de la nación. De pie en el Rosh, un sacerdote encendía una señal de fuego con madera de aceite, y luego ondeaba la antorcha encendida de un lado a otro y arriba y abajo (*Rosh haShaná* 2.3, 4). Desde la montaña adyacente, alguien repetiría el proceso. Los encendidos que comenzaron en el Monte de la Unción fueron vistos por primera vez en Sarteba, un prominente cerro en Samaria, luego en *Beit Biotin* "donde se meneaba una señal de fuego hasta que un hombre podía ver todo el exilio ante él como un mar de fuego" (2.2)

El Rosh también era el lugar para la ofrenda de la vaca roja. Se elegía una novilla de tres años: completamente roja, sin ningún defecto, y una que nunca había sido uncida. Después de que el animal era completamente consumido, sus cenizas se mezclaban con agua y se esparcían sobre los sacerdotes para purificación de la impureza por cadáver. La ceremonia eliminaba cualquier contaminación provocada por el contacto con los muertos (los impuros eran impuros durante siete días). El Rosh fue designado como un lugar "limpio" fuera del campamento de Israel. Una procesión de sacerdotes, encabezada por el sumo sacerdote, entraba por la Puerta Este del Templo y cruzaba el Valle de Cedrón por un puente especial que estaba alineado con la entrada del santuario. Hubo un *mikveh* (baño de inmersión) en el Rosh para que el sumo sacerdote la sumergiera si elegía realizar la tarea de la purificación. Una vasija se llenaba con agua que fluía de una fuente natural, luego se agregaban las cenizas de la novilla. Después del amanecer en el tercer día y el séptimo día, la mezcla se rociaba en el cuerpo del que necesita purificación. Simbólicamente, la ofrenda de la vaca roja estaba relacionada con el arrepentimiento.

Los eventos claves en la vida de *Yeshúa* tuvieron lugar en el Monte de los Olivos: su entrada triunfal en Jerusalén, su traición y arresto, su resurrección y ascensión, y algunos eruditos han sugerido que el Monte fue el lugar de su crucifixión. En el primer siglo, un camino del norte, (llamado el ascenso) llevaba a la cumbre. Una ruta del sur (llamada el descenso) conectaba con Betania y Betphage — dos lugares que *Yeshúa* visitaba con frecuencia. Bethphage estaba dentro del límite sabático de Jerusalén (la distancia que se puede recorrer el sábado) y era el hogar de los sacerdotes responsables de mantener el Rosh. Bethphage significa Casa de Higos Inmaduros — quizás también una acusación sobre la condición espiritual del liderazgo de Israel. Jeremías los describió como malos frutos (Jeremías 24.8); eran árboles que solo producían higos verdes, inmaduros y desagradables. La higuera era un símbolo para los reyes de Israel.

Por el contrario, Betania, o posiblemente *Beit Tehna* en hebreo, significa Casa de Higos Maduros y estaba ubicada en la vertiente sudeste del Monte de los Olivos. Lugar oriundo de Lázaro, a quien *Yeshúa* resucitó de los muertos, y a *Miriam*, quien ungió a *Yeshúa* con aceite, Betania fue donde *Yeshúa* condujo a sus discípulos después de que se les apareció en Jerusalén después de su resurrección. "Y mientras los bendecía, se apartó de ellos y fue llevado al cielo" (Lucas 24:51). "Los discípulos adoraron a *Yeshúa*, como el Mesías, luego regresaron a Jerusalén con gran alegría y continuaron alabando en el Templo" (Lucas 24:52,53).

En "Domingo de Ramos", *Yeshúa* montó un asno por el camino del sur de la cercana Betania. La multitud lo aclamó como el Hijo Mesiánico de David — el rey legítimo. Durante la última semana de su vida, *Yeshúa* ascendió y descendió muchas veces por el Monte de los Olivos — tomando el camino del sur hacia la ciudad y el Templo por las mañanas y ascendiendo por la tarde en las noches de regreso a Betania.

Con sus discípulos, *Yeshúa* también frecuentó el Jardín de Getsemaní (Juan 18:2) que estaba ubicado en la ladera occidental del Monte de los Olivos al otro lado del Valle de Cedrón desde Jerusalén. Getsemaní (*Gat shemen*) se traduce generalmente como "prensa de aceite" para el prensado de las aceitunas. Sin embargo, *gat* probablemente significa una prensa de vino. En la Septuaginta, *gat* (1 Samuel 6:17) es el abrevadero donde se pisaban las uvas con los pies. En el jardín, en la noche antes de su crucifixión, los discípulos de *Yeshúa* se durmieron cuando oraba cerca. A punto de ser traicionado por Judas, agotado de dolor y en gran angustia, el sudor de *Yeshúa* se asemejo a gotas de sangre que cayeron a la tierra (Lucas 22:39-40). Aparece una imagen de uvas que se exprimen en la prensa de vino — un símbolo de un sufrimiento crisol.

Yo [*Adonai*] pisé solo el lagar, de los pueblos, ningún hombre estaba conmigo. Los pisé en Mi ira, y los pisoteé en Mi ira. Su sangre vital salpicó mis vestiduras, así que manché todas mis túnicas... así que pisoteé a los pueblos, en Mi ira, y los embriagué en Mi ira, y derramé su sangre sobre la tierra.

Para producir aceite, las aceitunas eran batidas y exprimidas en una prensa de aceite. Se requirió presión para producir aceite. "Ordenarás a los hijos de Israel que te traigan aceite puro de olivas machacadas para la luz, y para mantener una lámpara encendida continuamente." (Éxodo 27:20). El aceite de oliva utilizado en la *menorá* se hacía machacando las aceitunas a mano y luego dejando que el aceite destilara durante varios días. Los rabinos compararon a un hombre con la aceituna, que debe ser machacada y magullada para brillar con luz. El rabino Weiss dijo: "Pareciera que la aceituna está destruida, pero lo que realmente está sucediendo es que la acidez se está eliminando y el aceite, la dulzura, se está salvando y purificando para enviar luz al mundo". *Yeshúa*, el rey siervo que representó Israel, que cargó con nuestras penas, cargó con nuestros dolores y fue comprimido por nuestras iniquidades, se convirtió en la luz del mundo.

El Discurso de los Olivos también tuvo lugar en el Monte de los Olivos. Quizás *Yeshúa* se sentó con sus discípulos cerca de la cumbre en el altar de la novilla roja donde se establecieron los fuegos de señal. Mirando a través del valle de Cedrón hacia el oeste, pudieron ver los recintos del Templo. "Todas las paredes [del Templo] eran altas, salvo la pared oriental, porque el sacerdote que quemaba a la Novilla y se paraba en la cima del Monte de los Olivos podía mirar directamente a la entrada del santuario cuando la sangre [de la Vaca Roja] se rociaba" (*Kodeshim*: Mishná *Middoth* 2:4). Los discípulos le pidieron a *Yeshúa* una señal de su venida y el fin de la era. Él respondió describiendo la próxima destrucción del Templo y la persecución de su pueblo (Mateo 24, Lucas 21, Marcos 13). La señal que aparecería en los cielos era el Templo. En su resurrección, que fue el lanzamiento de la nueva creación, *Yeshúa* se convirtió en la nueva creación del Templo lleno de la Presencia de Di-s; sus discípulos, sus portadores de imágenes, ahora podían seguir y difundir el mensaje del Reino por todo el mundo a través del amor.

Finalmente, fue en el Monte de los Olivos, probablemente en la Rosh, donde *Yeshúa* fue recogido y recibido en una nube. Mientras sus discípulos miraban al cielo, dos hombres vestidos de blanco se les aparecieron y les dijeron: "De la misma manera que lo vieron irse, Él volverá" (Hechos 1:9-11). Esto confirma lo que Ezequiel había profetizado, que de la misma manera que la gloria dejó el templo y la ciudad y se trasladó a la montaña al este de la ciudad, así también la gloria volvería de la montaña del este a la casa (43:1). La llegada de la nube, símbolo de la Presencia de Di-s, señaló a quienes vivían en la tierra de Israel (que estaban experimentando un tipo de exilio bajo Roma, Herodes Antipas y el liderazgo corrupto del Templo) que su larga noche de exilio había terminado. *Yeshúa* trajo la redención a la nación; reclamó la libertad del pueblo y liquidó sus deudas pagando con su vida. En el contexto del primer siglo, pagar un rescate significaba asegurar la libertad de un esclavo del mercado de esclavos.

Era *Chag HaMatzah*, la Fiesta de los Panes sin Levadura, cuando tomó la copa, dio gracias y ofreció a sus discípulos para beber, diciendo: "Porque esta es mi sangre del pacto, que se derrama para muchos para quitar los pecados" (Mateo 26:28). La palabra griega para la remisión o eliminación de pecados es *aphesis*, que es *Yovel* en hebreo. El *Yovel* (año 50) marcaba la liberación de deudas y la devolución de la propiedad a su propietario original. La sangre del nuevo pacto que se derramó señaló una liberación del alcance del pecado. (Será "Ese día", un *Yom Echad*, cuando *Yeshúa* beberá nuevamente con sus discípulos en el reino de su Padre.) Después de cantar un himno, salieron al Monte de los Olivos, a Getsemaní, donde finalmente fue arrestado.

En ese día, sus pies se pararán en el Monte de los Olivos, al este de Jerusalén, y el Monte de los Olivos se dividirá en dos de este a oeste, formando un gran valle, con la mitad de la montaña moviéndose hacia el norte y la otra hacia el sur.

(ZACARÍAS 14:4)

La división de la tierra representaba "el caos entre [la caída de] un reino y [el surgimiento de] otro" (Beale y Carson 2007: 1105). Una división (bakah) separó dos reinos: los reinos de este mundo y el Reino de los Cielos. El surgimiento de un nuevo Reino fuera del caos de lo antiguo significaba que la Casa de Di-s estaba siendo reconstruida y restaurada en Israel. Los cimientos de la tierra se separaron después de que Noé y su familia entraron al arca—rescatados de la violencia de la época. Moisés dividió el mar permitiendo que Israel fuera liberado de Faraón. Él también dividió la roca en el campamento en el desierto, proporcionando al pueblo agua que daba vida. En la ceremonia de entronización de Salomón, la tierra se dividió (1 Reyes 1:40) mientras el pueblo se regocijaba por su nuevo rey. La cortina en el Templo se rasgó mientras *Yeshúa* colgaba del árbol—indicando que un nuevo Reino se levantaba para reemplazar el viejo orden. "La venida de Jesús representó la manifestación de una fuerza primordial y desgarradora del mundo que produjo una profunda ruptura en la misma estructura de la realidad misma" (Ulansey 2016: *Heavens Torn Open*).

Y he aquí, el velo del Templo se rasgó en dos, de arriba a abajo. Y la tierra tembló y las rocas se partieron. Y las tumbas se abrieron, y muchos cuerpos de los *kedoshim* (santos) que estaban durmiendo fueron resucitados. Y saliendo de los sepulcros después de su resurrección, entraron en la ciudad santa y se aparecieron a muchos. Ahora el centurión y los que estaban con él cuidando a *Yeshúa* cuando vieron el terremoto y lo que estaba sucediendo, se asustaron terriblemente y dijeron: este realmente era el Hijo de Di-s.

(MATEO 27:51-54)

La tumba de *Yeshúa* fue asegurada. Fue sellada en la entrada con una piedra mientras un soldado montaba guardia. Después del *Shabbat*, al amanecer del primer día de la semana (un octavo día), las dos *Miriams* llegaron a la tumba cuando de repente hubo un gran terremoto. Un Ángel del Señor descendió del Cielo, hizo rodar la piedra y se sentó sobre ella. El ángel les dijo a las mujeres que la tumba estaba vacía y que *Yeshúa* había resucitado de entre los muertos.

Él era ahora la *sukkah* levantada de su padre, el Rey David; él era el Templo de la nueva creación, y la nueva Jerusalén, el lugar donde moraba la Presencia de Di-s. En él, el Cielo y la Tierra se encontraron, y la humanidad tuvo acceso a Di-s. NT Wright explica que una nueva creación había comenzado, y se había formado un nuevo pueblo en el poder del espíritu cuando estaban resucitando de la tumba (2012: 79). Los *kedoshim* (apartados) cobraron vida, renacieron como reyes y sacerdotes, cuando sus tumbas en el Monte de los Olivos se abrieron. La división del mar, la tierra, el velo y las tumbas eran la señal de que el camino hacia el jardín estaba abierto y que no existía ninguna barrera entre el pueblo y el trono de Di-s. Toda la tierra se convertiría en un templo para *YHWH* y sus sacerdotes y reyes restaurados a Su imagen.

El Reino estaba siendo restaurado a su dueño original, y la brecha en el pacto roto de la creación estaba en proceso de reparación. Sus portadores de imágenes terminarían la labor.

No vi ningún Templo en ella, porque su Templo es *Adonai Elohei Tzva'ot* y el Cordero. Y la ciudad no tiene necesidad de que el sol o la luna brillen sobre ella, porque la gloria de Di-s la ilumina, y su lámpara es el Cordero. Las naciones caminarán por su luz, y los reyes de la tierra traerán su gloria a ella. Sus puertas nunca se cerrarán de día, porque allí no habrá noche. Y traerán a ella la gloria y el honor de las naciones.

(REVELACIÓN 21:22-26)

CAPÍTULO CINCO

SACERDOTES

¡Pero ustedes son un pueblo escogido, real sacerdocio, una nación santa, un pueblo para Di-s poseer! Para que ustedes declaren las alabanzas del que los llamó y los sacó de la oscuridad a Su luz maravillosa. Sean respetuosos con todos; permanezcan amando la fraternidad, temiendo a Di-s y honrando al Rey.

(1 Pedro 2:9, 17)

Di-s estableció un pacto con los cielos y la tierra. Llamado *Brit Esh* (pacto de fuego), Su Palabra/juramento se manifestó como lenguas de fuego. "La voz de Di-s divide las llamas de fuego" (Salmo 29:7). Su Presencia apareció como un fuego consumidor en "Este mundo" y como un fuego purificador en el "Mundo Por Venir". Enoc llamó a la cámara interna de Di-s, que albergaba Su oráculo, la "Casa de las Lenguas de Fuego". Era allí donde Su gloria, sentado en el trono, se asemejaba a ríos de fuego ardiente que fluía desde arriba y debajo de la cámara celestial (1 Enoc 14).

Al final de la semana de la creación, Di-s inauguró Su Reino en un jardín. Él colocó a Adán, su rey sacerdote y portador de la imagen, dentro del santuario para cultivar el suelo, proteger el espacio sagrado y servir como mediador entre el Cielo y la Tierra. Después de desobedecer los términos del pacto, Adán fue exiliado del jardín al campo. Su servicio, sin embargo, no fue cambiado; la orden que se le dio, para expandir la Presencia de Di-s por toda la tierra y para preparar a la humanidad para recibir la regla soberana de Di-s, no fue rescindido.

Después del éxodo de Egipto, el Reino fue inaugurado en la montaña del Sinaí. Al pie de la montaña, una nación recién formada, Israel, fue testigo de una ceremonia de esponsales entre los cielos y la tierra. La montaña tembló violentamente. El sonido del trueno y el estallido de un *shofar* anunciaron el nuevo Reino—resucitado del caos del viejo Egipto. Di-s le dio a Moisés, su Rey-Sacerdote, los planos para construir el Tabernáculo basados en el patrón de Su Casa Cósmica. En el desierto, Su Presencia habitaría en medio de Israel como fuego en una espesa nube ante el pueblo. Israel, ahora llamado un Reino de Sacerdotes y una nación santa, tuvo la tarea de mediar entre el Cielo y la Tierra, sirviendo en el Tabernáculo, que era el puente entre Di-s y las naciones circundantes. Di-s presentó Su Palabra / juramento a Moisés en tablas de piedra.

En la crucifixión de *Yeshúa*, el Reino fue inaugurado en un árbol, y el papel de rey y sumo sacerdote fue restaurado en el Segundo Adán. "... el Mesías apareció como Kohen Gadol (sumo sacerdote) de las cosas buenas que ahora han pasado a través del Tabernáculo más grande y más perfecto no hecho con a manos (es decir, no de esta creación)" (Hebreos 9:11). El velo del Templo se rasgó, la tierra se estremeció, las rocas se separaron y se abrieron las tumbas—lo que prueba que el Reino de los Cielos había abierto paso en el mundo más allá del tiempo. El Cielo y la Tierra se unieron en su cuerpo resucitado — ahora el Templo de la nueva creación que alberga la Presencia de Di-s. "Pero si el Templo siempre fue la señal y el medio de la verdadera teocracia, entonces el Templo en persona, es decir, Jesús mismo es ahora esa señal. El que está sentado en el cielo es el que gobierna en la tierra" (Wright 2012: 247). Porque el Mesías es el que "hace de la creación un cosmos en lugar de un caos" (Lightfoot 1977:156). Los seguidores de *Yeshúa*, sus fieles asistentes, fueron acusados de extender la soberanía de Di-s en todo el mundo, lo que hicieron formando comunidades que operaban bajo el poder de Di-s.

En *Shavuot* (Pentecostés, Fiesta de las Semanas), aparecieron lenguas de fuego y se asentaron sobre los que estaban sentados en el Templo (Hechos 2:1-3). Como *Yeshúa* había prometido en su resurrección, estaban llenos de la Presencia Divina. Aquellos que vinieron a celebrar en el Templo, de "todas las naciones bajo el cielo", escucharon, en su propio idioma, las poderosas hazañas de Di-s. La Palabra / juramento de Di-s, que una vez había sido escrita en tablas de piedra, estaba siendo escrita en corazones humanos.

Di-s le prometió a Israel que reuniría a los *goyim* (naciones) para ver Su gloria y elevarlos como sacerdotes y levitas (Isaías 66:21). Con el lanzamiento de Su Reino, Di-s ofreció a los gentiles un lugar para servir en Su Casa Cósmica. "La razón por la cual Dios 'tomará' a gentiles por sacerdotes y levitas es porque ahora el lugar de la verdadera adoración y servicio en el templo no está geográficamente ubicado en la Jerusalén antigua y temporal, sino en toda la tierra, donde toda la humanidad vendrá a inclinarse ante [Él] para siempre" (Beale 2004: 137-138). Esta es la señal en los cielos: la Presencia de Di-s habita en medio de Su templo de nueva creación — aquellos que están en convenio con Él.

Juntos, Adán y *Chavah* se asemejaban a un templo cósmico en miniatura, y el fruto nacido de su unión numeraba las estrellas en los cielos. Adán hizo un pacto con la tierra que aseguró bendiciones sobre el fruto que produjo el suelo. El comerlo, era considerado la forma más elevada de adoración en el Templo, era parte de su obligación de convenio. "Tomar y comer" se asemejaba a las etapas de los antiguos convenios matrimoniales: los esponsales seguidos de la ceremonia nupcial; ambos rituales eran acompañados por una comida. En los convenios AMO, solo las partes que estaban en paz podían cenar juntas. Compartir una comida significaba partir el pan y beber vino, lo que ratificaba el acuerdo que las partes estaban tomando. Después de la resurrección de *Yeshúa*, su comunidad en convenio se dedicó al compañerismo, a la oración y al partimiento del pan. *Yeshúa* ha prometido que beberá el fruto de la vid, de nuevo, con aquellos en el Reino de su Padre (Mateo 26:29).

Cuando Adán y *Chavah* comieron del Árbol del Conocimiento del Bien y del Mal, se "unieron" a sí mismos a lo que estaba prohibido: comparable al adulterio físico. Israel a menudo formó alianzas no autorizadas con reyes extranjeros que incluían adorar a sus dioses. Al hacerlo, Israel repetidamente se convirtió en una ramera. La Torá proporciona límites que habrían protegido a Israel de cometer idolatría, pero a menudo ignoraron su consejo. Cuando Moisés estaba a punto de morir, *Adonai* le dio esta advertencia: "[Entonces] este pueblo se levantará y se prostituirá con los dioses extranjeros de la tierra a la que están entrando. Me abandonarán y romperán mi pacto que hice con ellos" (Deuteronomio 31:16). Dios le dijo al profeta Oseas que se casara con una ramera (Gomer) que era una imagen de la adúltera Israel. "Porque la tierra es prostituta infiel, lejos de seguir a *Adonai*" (Oseas 1:2). En el libro de Revelación, el liderazgo del Templo de Israel se describe como la gran prostituta, que se sienta en muchas aguas, con quienes los reyes de la tierra cometen inmoralidad sexual. "Los que moran en la tierra se emborracharon con el vino de su inmoralidad" (17.2b). Di-s prometió que su ira se encendería contra ellos y que su lengua, un fuego ardiente, los devoraría en su furor celoso.

¡Por lo tanto, ramera, escucha la palabra de *Adonaí*! Porque tu inmundicia fue derramada y tu desnudez expuesta por tu fornicación con tus amantes, por todos los ídolos de tus abominaciones, y por la sangre de tus hijos que les diste, juntaré a todos tus amantes, a los que has agradado y a todos los que has amado, con todos los que has aborrecido... Te juzgaré, como mujeres que cometen adulterio... Entonces traeré sobre ti la sangre de furia y celos... Te daré en sus manos... quemaran sus casas hasta los cimientos y ejecutare juicio sobre ti a la vista de muchas mujeres. Entonces, haré que detengas tu prostitución.

(EZEQUIEL 16:35-38,41)

Israel hizo de ramera con los asirios, y Judá con los babilonios (Ezequiel 23). Descritas como hermanas depravadas codiciando a los hombres de uniforme, ambas cosecharon las consecuencias de su adulterio—el exilio—lo que significó que la Presencia de Di-s fue removida de en medio de ellos. Movido por un espíritu de celos, Di-s los entregó a reyes extranjeros que los esclavizaron. Las naciones se alzaron contra ellos—enviando soldados armados que montaban carros para matar a sus hijos e hijas a espada y para destruir sus ciudades y quemarlas sus cimientos. En el primer siglo, con la aprobación tácita de los líderes del Templo, el sumo sacerdote se alineó con Roma. En Revelación, el sumo sacerdote (como la ciudad de Jerusalén) estaba vestido de púrpura y escarlata (sus vestiduras regulares estaban tejidas de lino púrpura, escarlata, azul y blanco), estaba adornado con oro y piedras preciosas (Revelación 17:4; 18:16) y fue llamada la gran ramera que corrompió la tierra y la que derramó la sangre de los siervos de Dios (Revelación 19:2).

En el jardín, las ramificaciones para romper el convenio cayeron sobre los individuos profanos: Adán, el *adamah* (tierra), *Chavah*, y la serpiente. En el mundo antiguo, el ser *maldecido* simplemente significaba que los culpables cosechaban las consecuencias; la cobertura de protección que el convenio proporcionaba fue eliminada por la falta de lealtad de la parte infractora. En este caso, la consecuencia de comer el fruto del Árbol del Conocimiento fue la muerte. La muerte, sin embargo, no significaba el final de la vida. La muerte era un enemigo que entró por una violación en el pacto, interrumpió el *Shalem* y creó el caos dentro de la casa. Esto se puede comparar con un rey AMO cuyo ejército rompía las murallas de la ciudad — capturaba, mataba o desplazaba a sus residentes — y dejaba la ciudad desolada.

La muerte también se puede definir como el exilio del campo y la separación de la presencia de Di-s. "Cuán afortunados son los que lavan sus túnicas, para que tengan derecho al Árbol de la Vida y puedan entrar por las puertas a la ciudad. Afuera están los perros, los hechiceros, los inmorales, los asesinos, los idólatras, y todos los que aman y practican la falsedad" (Revelación 22:14,15). Cuando la Divina Presencia se tabernaculizó con nosotros en *Yeshúa*, el Mesías, que era el nuevo templo de la creación de Di-s levantado de la tierra, la vida eterna se convirtió en una garantía. La muerte era simplemente una intrusión momentánea en la vida.

La desobediencia de Adán y *Chavah* hizo que su "relación" con la tierra se volviera más tensa. El hombre y la mujer confiaron en sí mismos para construir un reino en lugar de confiar en su creador. Una vez que fueron retirados del jardín, el espacio sagrado podría sanarse y liberarse de su contaminación. *Yahweh* misericordiosamente sostuvo el mandato dado a la humanidad de trabajar la tierra y dar fruto — incluso en el exilio. La tierra, sin embargo, también había soportado las consecuencias de las acciones del hombre. Cultivar alimentos en el suelo que produjeron espinas y cardos sería un desafío. Mantener la vida en el campo significaba trabajo, sudor y angustia.

La mujer también enfrentó las consecuencias de sus acciones: conocería el dolor en la concepción y soportaría el dolor en el parto. Su anhelo sería por su *eish* (hombre o esposo). En este contexto, "hombre" es plural; esto puede estar refiriéndose a la humanidad en general. Tal vez esto indica su deseo de reproducir la naturaleza bestial de los seres humanos en lugar de la naturaleza de Di-s. El hombre *mashal* (dominaría, gobernaría) sobre *Chavah*, lo que significa que ejercería el dominio a través de la "voluntad humana" para hacer retroceder el caos que había creado. La palabra *mashal* se usa por primera vez en la semana de la creación. La lumbrera mayor "gobernó" el día, la lumbrera menor "gobernó" la noche y las estrellas "gobernaron" el día y la noche (Génesis 1:16). Esto explica el sueño de José, en el que compararon a su padre (Jacob) con el sol, compararon a su madre (Raquel) con la luna y compararon a sus hermanos con las estrellas — una metáfora que implica que esta familia estaba destinada a gobernar las naciones de la tierra. La enemistad continuaría, sin embargo, entre el reino del hombre (la simiente de la serpiente que representaba a los gobernantes del mundo) y el Reino de Di-s (la simiente de la mujer que representaba la línea real de Di-s). Este tema domina la historia de Israel.

La serpiente fue condenada a "caminar" sobre su vientre y comer polvo todos los días de su vida. Se consideró más detestable que todas las otras bestias en el campo. Comer polvo implicaba que la serpiente devoraría la tierra y consumiría lo que la tierra producía, destruyendo así el sustento del hombre. La promesa del pacto que Di-s hizo con su pueblo para heredar una tierra fructífera nunca fue abrogada.

Llevaré a los *Benei Yisrael* de entre las naciones adonde se han ido y los juntaré de todos los lados y los traeré de regreso a su propia tierra. Los haré una nación en la tierra, en las montañas de Israel, y un rey será el rey de todos ellos... Nunca más serán contaminados con sus ídolos, sus cosas detestables o con ninguna de sus transgresiones... entonces serán Mi pueblo y yo seremos sus Di-s. Haré un pacto de *Shalom* con ellos; será un pacto eterno con ellos Yo les daré a ellos, aumentaré sus números, y pondré mi Lugar *Kadosh* entre ellos para siempre. Estableceré Mi Santuario entre ellos para siempre.

(EZEQUIEL 37.21-23, 26,27)

En la antigua Mesopotamia, la serpiente, originalmente un ser neutral, nunca fue identificado como Satanás o el diablo. Eventualmente, sin embargo, la serpiente llegó a simbolizar reyes antiguos que a menudo se describían como dragones (faraones) o bestias: como el rey babilónico Nabucodonosor, en el libro de Daniel, que fue representado por un árbol y que creció tan fuerte que Di-s lo condujo de la humanidad para comer hierba como bueyes mientras habitaba con las bestias del campo. Su cabello creció como plumas de águila y sus uñas como garras de pájaros (Daniel 4:33). En el desierto, Moisés hizo una serpiente de bronce y la levantó como un estandarte para que aquellos que habían sido mordidos por serpientes (reyes) la miran y vivieran (Números 21:8,9). Con el tiempo, la serpiente se convirtió en sinónimo de gobernantes y reyes de la tierra que se convirtieron en la imagen / ídolo de sus dioses. El *nasak* o "mordisco" de la serpiente tenía que ver con el control financiero que ejercía un rey sobre su pueblo. En el primer siglo, la creencia en los ángeles, los demonios, las batallas apocalípticas y el diablo apareció en muchos textos judíos, y Satanás se convirtió en el nombre propio del diablo (Dolansky 2017). La serpiente en Revelación capítulo 12, ahora atada al diablo y a Satanás, probablemente era una referencia al César de Roma.

Faraón era el dragón que huía y la serpiente retorcida (Isaías 27:1), posiblemente llamada así por su tocado, el *Uraeus* (forma vertical de una cobra), que era un símbolo de soberanía, realeza y autoridad divina. La serpiente en el jardín también pudo haber representado a un poderoso rey del AMO de quien Adán y *Chavah* invitaron al espacio sagrado. Por ejemplo, Ezequías, rey de Judá, recibió a los mensajeros del rey de Babilonia en el Templo santo para mostrar sus tesoros: plata, oro, especias, aceite precioso y la armería. La arrogancia de Ezequías finalmente abrió Israel a un ataque del Rey de Babilonia que destruyó Jerusalén y el Templo y deportó a sus ciudadanos a Babilonia.

Idolatria

Adán fue formado en el taller de Di-s y se convirtió en la imagen viva del verdadero Di-s, no de una falsa deidad pagana (Beale 2008: 132). En el AMO, una imagen/ídolo contenía la presencia del dios, aunque la presencia no se limitaba a la imagen (17). La imagen/ídolo no era el dios, sino el representante del dios y su esclavo. Adán (sirviendo como un rey sacerdote) era, de algún modo, la imagen/ídolo de Dios o portador de la imagen que fue creado para estar en relación y para reflejar el carácter, la naturaleza y la gloria de Di-s en la tierra. Para cumplir esta tarea, Di-s eventualmente llenaría a todos Sus portadores de imagen con Su Presencia (aliento) para que pudieran servir como sus representantes vivos en el lugar donde Él puso Su Nombre.

La idolatría es "el" usurpar el rol de Di-s — de dar forma a su propia imagen/ídolo para ser adorado. La idolatría oscurece la distinción entre Di-s y Su creación al disminuir Su gloria. La consecuencia de la idolatría de Israel fue el exilio en tierras extranjeras donde se convirtieron en esclavos de reyes extranjeros y perdieron su identidad única. (La familia de Jacob fue exiliada a Egipto, Israel fue exiliado a Asiria, y Judá fue exiliado primero a Babilonia y luego en el primer siglo a Roma).

La idolatría es una enfermedad humana que exhibe síntomas llamados pecado. El pecado no es tanto un fracaso moral, ni se está quedando corto con respecto al propio concepto de perfección bíblica, sino que el "hombre" toma las riendas y decide qué es lo correcto y qué está mal. Los síntomas de la idolatría se manifiestan en una variedad de formas. Las adicciones, por ejemplo, son generalmente el signo externo de la adoración interior de uno mismo: abuso de sustancias, comportamiento violento, pornografía, juegos de azar, obsesiones sexuales, desórdenes alimenticios, entretenimiento y todo eso. El pecado continuamente "alimenta" al ídolo. La adicción contamina nuestras sienes con una sustancia extraña que invade el cuerpo y hace que sus sistemas se apaguen. Aunque muchas adicciones son casi imposibles de romper sin ayuda externa, nuestro Di-s es más que capaz de liberar a los cautivos. La liberación comienza, sin embargo, con negar la autodeterminación y, en su lugar, llenarse con la Presencia de Di-s para vencer los efectos tóxicos del pecado.

Adán cambió su lealtad del maestro artesano hacia sí mismo — la imagen/ídolo que el maestro artesano había creado. Beale explica que al comer del Árbol del Conocimiento del Bien y del Mal, Adán se apropió de la autoridad de hacer una autoridad ética — autoridad que era solo de Di-s. Hacer una ley ética era una función que los humanos nunca podrían cumplir (135). Según Christopher Wright, Adán eligió actuar como si fuera Di-s para decidir qué era bueno y qué era malo. Esta es la base de la idolatría: "[Cuando] deificamos nuestras propias capacidades y nos hacemos dioses de nosotros mismos y nuestras elecciones." Wright continúa diciendo que "la raíz, entonces, de toda la idolatría es el rechazo humano de la finalidad de la autoridad moral de Di-s" (2006:164). La idolatría elimina la responsabilidad del "yo" de recibir la Presencia Divina, y el portador de la imagen (la imagen / ídolo) se convierte en esclavo de los dioses de este mundo.

La idolatría crea una brecha en el orden creado que solo puede repararse a través de la expiación. La redención requiere el pago de la "liberación" del esclavo (lenguaje del mercado de esclavos durante el primer siglo). *Yeshúa* el Mesías (rey) pagó este precio cuando la sangre del pacto fue derramada para la "remesa" (*aphesis* en griego, *yovel* en hebreo) de los pecados. *Yovel* también se conoce como el Jubileo, lo que significa que los esclavos son liberados y los bienes son devueltos a su dueño original. La imagen/ídolo que una vez había sido esclavizado a los dioses de este mundo ahora se ha convertido en un templo de nueva creación, que ha sido devuelto a su dueño original — *YHWH*.

Perdón

Los sabios declararon que cada alma dentro de la comunidad es un templo humano. Si una persona es santa, entonces su templo es santo; si él peca, entonces su templo se contamina. Cuando una persona se arrepiente, es como si reconstruyera un templo dentro de sí mismo. El arrepentimiento (remordimiento, contrición) restaura nuestra humanidad, y el Espíritu renueva nuestras mentes para pensar de manera diferente. El verdadero perdón solo puede suceder en el lugar donde habita la Presencia de Di-s. Al regresar del exilio, Israel recibió la orden de construir la casa de Di-s. Una vez que el Templo y el altar fueron reconstruidos y funcionales, el perdón estaba disponible a través de las diversas ofrendas. Es en *Yeshúa*, el templo de la nueva creación, que el perdón está disponible para nosotros.

Un convenio es un contrato legalmente vinculante, y una vez se rompe, la expiación es el mecanismo para su reparación. La expiación repara la brecha causada por la idolatría y reconcilia a las dos partes. El arrepentimiento repara los lazos rotos y debe motivar a la parte culpable a reparar el daño causado a la relación. Perdón "es un pago inicial personal sobre la promesa de reconciliación futura. El perdón dice: 'Acabo de hacer posible tu camino hacia la restauración, pero solo tu remordimiento, arrepentimiento y compromiso con la rehabilitación pueden hacerlo realidad'" (Rosenquist 2017: Vol. 2). El perdón no es un sentimiento o una emoción; es el proceso para restaurar el pacto y eliminar el caos creado por el pecado. "Si una persona se arrepiente, se considera que ha subido a Jerusalén, ha reconstruido el templo y el altar, y ha traído todas las ofrendas de la Torá" (Levítico *Rabá* 7:2). La Torá, por su parte, establece límites para limitar el daño que causa el pecado y prohíbe el comportamiento que la reconciliación no puede reparar. Una vez que se ha hecho expiación y se ha recibido el arrepentimiento y el perdón, las consecuencias aún permanecen. Los actos de reconciliación ayudan a reparar el daño que nuestras acciones han causado. A veces, sin embargo, podemos ofrecer disculpas arrepentidas a alguien solo para ser rechazadas. Hay circunstancias en que la restitución es imposible. A veces, el daño y sufrimiento que causamos es irreparable. En ese punto, solo Di-s puede reparar lo que está roto. Por Su misericordia y compasión —por su gran amor— Él sana a los quebrantados, venda sus heridas y repara el dolor. A veces esa sanidad es instantánea, otras veces no lo es.

A su debido tiempo, los *sacerdotes* perdonados deberán abandonar el "hospital" de Su misericordia sanadora y regresar al campo para cultivar de nuevo la tierra del corazón humano. Esto sucede cuando "el pueblo de Dios se renueva para ser un real sacerdocio que tomará el mundo no con el amor al poder sino con el poder del amor" (Wright 2012: 240). "Ahora que han purificado sus almas en obediencia a la verdad, llevando al amor fraternal sincero, ámense los unos a los otros fervientemente de un corazón puro" (1 Pedro 1:22).

Nos encontramos en un precipicio mirando lo que parece ser la cultura más egoísta, ignorante y narcisista de los últimos tiempos. Salomón nos recuerda, por supuesto, que no hay nada nuevo bajo el sol, pero el consenso general es que el mundo de hoy está girando fuera de control, cosechando el torbellino del caos a medida que esta generación se aleja cada vez más de los principios bíblicos. Las instituciones que alguna vez se fundaron en los principios judeo-cristianos, el baluarte de la sociedad estadounidense, se han visto comprometidas y corrompidas: la educación, el gobierno, los militares, los medios de comunicación y los negocios. Incluso en las iglesias, hay quienes se niegan a resistir comportamientos aberrantes, y prefieren abrazar la destrucción de la cultura moderna. El rabino Daniel Lapin alienta a la iglesia a "reemplazar la timidez con eficacia y desconfianza con osadía y determinación" y reconocer que hay una guerra contra aquellos que consideran la Biblia como la revelación de Dios a la humanidad. Él cree que la propia supervivencia de la civilización occidental está en juego (Lapin 2007: *Toward Tradition*, A Rabbi's Warning to U.S. Christians).

Esta nación mantiene el ritmo constante de su marcha de la muerte al abandonar a los más vulnerables de la sociedad: los no nacidos, los inocentes, los discapacitados y los enfermos. Vivimos en una cultura que exalta la muerte y aplaude la inmoralidad, donde los medios de comunicación nunca pierden la oportunidad de promover esta agenda, golpeándola en todos los rincones colectivos.

Las políticas gubernamentales a menudo carecen de sabiduría y/o no tienen ningún sentido lógico. Las nuevas leyes generalmente violan los principios bíblicos. Los legisladores, por avaricia, arrogancia y/o necesidad de controlar, aprueban leyes que enfrentan a un grupo contra otro en una pelea por la misma porción del pastel. Muchas leyes tienen consecuencias imprevistas. Las políticas de bienestar, por ejemplo, han causado estragos en la familia al hacer financieramente beneficioso mantener al padre fuera del hogar. La comunidad afroamericana ha sido particularmente golpeada en este sentido. El flagelo de los padres ausentes (en todas las comunidades) ha generado el surgimiento de "súper-predadores". Marginados por la familia y la sociedad, estos hijos se unen a pandillas y cometen actos de violencia cuando buscan la aprobación de una figura paterna. Algunos se vuelven emocionalmente entumecidos, muertos por dentro, capaces de cometer actos indescriptibles. El papel tradicional de los hombres, como protectores y defensores del hogar, continúa erosionándose hasta el punto en que los hombres jóvenes experimentan una confusión total sobre sus responsabilidades y sus relaciones. El problema se remonta al colapso de la familia que ha llevado a la devaluación de la vida humana. El cura Jeff Bayhi (de la Iglesia Católica St. John the Baptist), que abrió una casa en Baton Rouge, LA, para víctimas del tráfico humano, lamenta: "Devaluamos tanto la dignidad de la vida humana que, en general, como sociedad, vemos la vida humana como una cuestión de beneficio, placer o posesión." Concluye que, "La vida humana se ha convertido en una mercancía. El tráfico humano es un aspecto más de eso." Una familia fuerte es la base sobre la cual se construye una sociedad saludable y productiva, donde la semilla es amada, preservada, nutrida y protegida.

Que la cultura global haya rechazado a Di-s no es nada nuevo. Las élites políticas, sociales y religiosas de todo tipo, y en cada generación, están decididas a erradicar a Di-s y Sus portadores de imágenes. Sus ataques han sido implacables a través de las edades. Verdaderamente son bestias en el campo — devorando todo lo que consideran una amenaza a su esfuerzo por corromper la imagen de Di-s en el mundo.

> La voluntad de Dios para su pueblo en el exilio era que vivieran sabiamente en el mundo pagano donde se encontraban, y porque creían que Dios era en última instancia soberano (en formas que normalmente son invisibles) sobre esas naciones, pudieron desarrollar un relato teológico de las idas y venidas de las naciones paganas y sus gobernantes, así como una literatura subversiva y un estilo de vida diseñado para criticar a los gobernantes paganos, alentar a los fieles y advertir sobre el juicio final de Dios.
>
> (WRIGHT 2012:172)

Escaparse del mundo parece una opción agradable, pero el Reino de los Cielos no se trata de huir de los problemas o encontrar un pedazo de cielo "fuera del panorama" y esperar el final. Las escrituras judías del primer siglo no expresan esta mentalidad del fin del mundo. El mensaje del Evangelio llama a Sus sacerdotes, que están llenos de Su presencia, a moverse en el campo y mediar en nombre de la humanidad. Llamado a difundir el Reino de los Cielos sobre la tierra, Sus sacerdotes contribuyen a la transformación de un mundo depravado, decadente y degenerado. El mundo nunca será redimido si su pueblo bajo convenio abandona su misión al desaparecer. "El gran propósito futuro de Di-s no era rescatar personas del mundo, sino rescatar al mundo de su estado actual de corrupción y decadencia" (45). El objetivo siempre ha sido regresar al jardín, el Santuario Edénico de Di-s, para renovar la vocación original de Adán de hacer portadores de imágenes (sacerdotes-rey) del Único Verdadero Di-s.

Un Reino De Sacerdotes

El lenguaje agricultural es sinónimo de orden creado. Antes de que los reyes llegaran al poder en el mundo antiguo, la Tierra estaba gobernada por el sol, la luna y las estrellas (Génesis 1:14), que gobernaban los ciclos de plantación, cultivo y cosecha. (El sueño de José significaba un retorno a la orden original.) Para Israel, los ciclos fueron citas designadas o fiestas cuando el pueblo se presentaba en la Presencia de Di-s para ofrecer las primicias de su cosecha. Para el mundo antiguo, la agricultura/jardinería no era simplemente una actividad agrícola. Establecer un terreno, labrar el suelo e irrigar plantas y árboles eran actos de creación supervisados por un Creador sabio. "Cuidar el jardín" era una metáfora para mantener el orden creado. Los sacerdotes mantuvieron ese orden cultivando alimentos para sustentar la vida de aquellos dentro del espacio sagrado. "Extraer alimento de la tierra" denotaba un ambiente seguro y pacífico, mientras que el acto de romper el pacto (Ley) creaba un caos que a menudo resultaba en sequía, lo que conducía a una pérdida de cosechas y, finalmente, a la inanición.

'Ustedes buscaron mucho pero se convirtió en poco, y cuando lo trajeron a casa, Yo lo disipé con un soplo. ¿Por qué? Pregunta *Adonai Tzevaot*. 'Porque mi casa yace en ruinas, mientras cada uno de ustedes corre para ocuparse de su propia casa. Por esto el cielo arriba ha retenido el rocío, así que no hay ninguno, y la tierra retiene su cosecha. De hecho, Yo llamé la espada sobre La Tierra y sobre las colinas, sobre los granos, el vino y el aceite de oliva, sobre lo que produce la tierra, sobre hombres y sobre todo lo que producen las manos.

(HAGEO 1:9-11)

Los estudiosos del AMO se refieren a la agricultura/ jardinería como la "más sabia" y más necesaria de todas las artes, indispensable para la vida. Quien dominaba el arte de la agricultura conocía el mundo natural. Un agricultor sabio entendía el significado de los patrones en la naturaleza: los detalles de la tierra, el suelo, el viento y la lluvia. *Yeshúa* comparó el corazón humano con cuatro tipos diferentes de terrenos en los que se sembró: la calzada, el suelo rocoso, entre los espinos y el buen suelo que produjo el fruto. En el relato del Éxodo en la Pascua, hay cuatro tipos de hijos (fruto producido de la semilla): el sabio, el malvado, el simple y el que no sabe cómo preguntar. El hijo sabio come del Árbol de la Vida —la Torá— para obtener sabiduría y comprensión. En Deuteronomio, el Éxodo se cuenta desde el punto de vista de un agricultor (Deuteronomio 26:1-5). El agricultor reconoce la guía de Di-s a lo largo de la historia de Israel y su papel en la naturaleza.

Si escuchas atentamente Mis mitzvot que te ordeno hoy, de amar a *Adonai*, a tu Di-s y me sirves, con todo tu corazón y con toda tu alma, entonces proporcionaré lluvia para tu tierra en su tiempo apropiado, lluvias tempranas y tardías, para que puedas recoger en su grano, su vino nuevo y su aceite de oliva. Cuídate de que tu corazón sea seducido y te desvíes y sirvas a los dioses de los demás y te inclines ante ellos. Entonces la ira de *Adonaí* se encenderá contra ti. Retendrá el cielo para que no llueva y la tierra no cederá. Y pronto serás desterrado de la tierra hermosa que *Adonaí* te está dando.

(DEUTERONOMIO 11:13-17, ARTSCROLL SIDDUR)

Los sacerdotes del Reino de hoy (portadores de Su imagen) deberían adoptar la perspectiva del agricultor para la cosecha de las almas. Aunque haya resistencia cuando se cultiva el corazón humano, el fruto, los Hijos de Di-s, saldrán para numerar las estrellas en el cielo. El trabajo del sacerdote es reemplazar las espinas y los cardos producidos por el corazón humano con árboles y arbustos frutales (Isaías 55:12,13). Sus sacerdotes del Reino deben reflejar su carácter mediante el ejercicio de la justicia, la justicia y la misericordia. Wright señala que la Ley se mantiene solo si se atiende a los pobres, los oprimidos y los menos afortunados. El amor tangible por nuestro prójimo es la prueba práctica de nuestro amor por Di-s. Di-s envió un verdadero rey para gobernar con justicia, convirtiendo a los pobres y necesitados en su prioridad constante (2016: 79-80). Nuestro servicio diario requiere que cultivemos el suelo del corazón humano para "alimentar" a las almas hambrientas.

¡La esencia del reino es *avodah*—servicio! "El papel agrícola de Adán en el Edén era una función real y sacerdotal asociada con el servicio en un templo" (Beale, página 91). Jastrow sugirió que el concepto de avodah se refería al "espacio requerido para atender a una planta" (Jastrow 1950: entrada de *Avad*). El servicio en el Templo era la adoración que tenía su expresión en la realización de las actividades rituales. "Así como la adoración en el altar del Templo se llama *avodah*, así también la oración se llama *avodah*, es decir, el servicio del corazón" (BT *Ta'an* 2a). Los servicios (oración) fueron la puerta de entrada para la comunión con Di-s e instruyeron al adorador sobre cómo acercarse a Él (BT *Berajot* 24b). "Mientras el servicio del Templo se mantenga en pie, el mundo es una bendición para sus habitantes y las lluvias bajan en la temporada. Pero cuando el servicio del Templo no se mantiene, el mundo no es una bendición para sus habitantes y las lluvias no bajan en la temporada "(*The Fathers according to Rabbi Nathan* 4). Los sacerdotes que realizaban el servicio en el espacio sagrado transformaron el mundo exterior.

Es importante notar que la oración corresponde a sacrificios específicos en el Templo. "Nos ordenaste traer la ofrenda continua en el tiempo [...] establecido pero ahora a través de nuestros pecados, el Templo Sagrado es destruido, la ofrenda continua es descontinuada [...] pero tu dijiste, 'deja que nuestros labios compensen a los toros'" (Complete Artscroll Siddur 1985: 45). La ofrenda a la que se hace referencia, llamada elevación continua u ofrenda quemada, consolidaba la relación entre Di-s e Israel elevando el estado de quien lo ofrecía. Cada mañana y cada tarde, los sacerdotes "se mantenían en pie" para derramar la sangre sobre el altar en nombre de quien trajo el sacrificio. Después de que el Templo fue destruido, la oración se convirtió en el sustituto de la ofrenda quemada. Las referencias a la ofrenda de elevación continua se pueden encontrar en el Nuevo Testamento: "15 Por medio de *Yeshúa* entonces, por lo tanto, ofrezcamos a Di-s sacrificio de alabanza continuamente. 16 Pero no olviden hacer el bien y compartir con otros, porque con esos sacrificios Di-s se complace mucho, porque éste es el producto natural de labios que reconocen Su Nombre. (Hebreos 13:15,16) "Orando sin cesar", "orando noche y día" y "continuando en oración y súplica" aluden a la ofrenda de elevación continua.

Sus sacerdotes del Reino están llamados a terminar la obra que el Mesías comenzó redimiendo al mundo de su actual estado de caos. Esto se hace al reflejar las alabanzas de Di-s, así como su justicia y sabiduría, en el mundo a través de nuestra avodah o servicio a Él. "El sacerdocio se coloca en la intersección del cielo y la tierra, en el Templo, al servicio del Creador, en oración, intercesión y alabanza en nombre de un mundo atormentado" (Wright 2016: 76-77). Como representantes sacerdotales de Di-s, expandiendo Su Presencia a aquellos que lo rechazaron, nuestro mandato es este: reflejar Su amor al mundo.

¿Qué Haría Yeshùa [Jesús]?

La pregunta que debe hacerse es: ¿cómo los sacerdotes de Su Reino cultivan y cuidan el espacio sagrado? ¿Cómo transforman el mundo? ¿Cómo terminan lo que comenzó Yeshúa?

En primer lugar, reconocemos que somos vasos defectuosos, sin embargo, Di-s en Su misericordia nos usa de todos modos. Es Su Presencia la que nos equipa para trabajar como sacerdotes, y es Su Presencia la que debe recibir la gloria por los resultados. Debemos participar en Su labor como sus coherederos al multiplicar Su imagen en nuestra esfera de influencia. Aunque el antiguo Israel falló, y con frecuencia, su mandato todavía era difundir la imagen de Di-s, no obedeciendo perfectamente a la Torá, sino ejerciendo fe en Aquel que creó la Torá. Sus portadores de imagen deben reflejar su reinado amoroso al mundo y mostrar a aquellos fuera de convenio cómo pueden entrar en una relación con Di-s.

Los sacerdotes en el Templo eran responsables de preservar el espacio sagrado: proteger, mantener y proteger su santidad. De la misma manera, debemos proteger nuestro templo, nuestros cuerpos, de contaminación. Se proporciona un proceso para eliminar la contaminación: arrepentimiento, perdón y restitución siempre que sea posible. Nuestro servicio sacerdotal debe comenzar cada día con esta oración: "Crea en mí un corazón limpio, oh Dios, y renueva un espíritu firme dentro de mí". No me eches de tu presencia; no quites de mí a tu Ruach HaKodesh. Devuélveme la alegría de tu salvación y mantenme con un espíritu dispuesto. Entonces enseñaré a los transgresores Tus caminos y los pecadores volverán a Ti" (Salmo 51:12-15).

Un sacerdote del Reino debe protegerse contra la ingratitud que a menudo va acompañada de un sentido de derecho. El derecho, entonces, inevitablemente conduce a la ira y la amargura. Si no se trata, estos sentimientos comerán a la humanidad causando apatía hacia las preocupaciones de los demás. En verdad, la ingratitud es una forma de idolatría que conduce a la esclavitud. En todas las cosas, y en cada circunstancia, estamos llamados a alabar a nuestro Di-s y modelar un corazón de acción de gracias y gratitud hacia Aquel que nos creó. "Un corazón feliz es una buena medicina, mientras que un espíritu aplastado seca los huesos" (Proverbios 17:22).

A través de la oración y la intercesión, los sacerdotes construyen una relación íntima con Di-s. A su vez, instruyen a otros cómo acercarse a Él. "Cuando viajamos hacia un lugar de relación, es un gesto para disminuir la distancia —ese es el objetivo de la oración. Anhelamos Su Presencia" (*Kirvat Elokim*). Los sacerdotes en el Templo eran entrenados rigurosamente para el servicio. Significaba disciplina diaria para ellos mismos, así como también capacitar a otros a través de tutoría y experiencias de vida.

SEA UN SACERDOTE que cultive, en amor, el suelo del corazón humano a través de la oración y las obras de servicio. Lea y estudie las Escrituras todos los días —libros completos a la vez. Manténgase leal y fiel al convenio de Di-s. Dedique tiempo, todos los días, para acercarse al Rey. Proteja su espacio sagrado, sus salidas y entradas, por lo que diga, lo que escuche y lo que permita que tus ojos vean. Proteja su templo de la contaminación de la cultura. No te escondas en una burbuja y ore para escapar. *Yeshúa* no le pidió al Padre que quitara del mundo a los que eran suyos, sino que los mantuviera alejados del maligno en el mundo (Juan 17:15). Responda a cada confrontación (especialmente en las redes sociales) con una respuesta amable, y así alejará la ira. Sea amable. ¡No comprometa sus principios, nunca! Actúe justamente hacia todos. Camine en humildad —estimando a los demás mejor que a ti mismo.

Al hacer estas cosas, no se sorprenda cuando experimente dificultades, malentendidos y/o acusaciones falsas, ya que el Reino nació del sufrimiento. Participe en el servicio práctico, especialmente en el cuidado de los vulnerables: viudas, huérfanos, huérfanos de padre, discapacitados, oprimidos y sin poder e influencia. No olvides orar por nuestros hermanos y hermanas perseguidos en Medio Oriente y en todo el mundo que han perdido tanto. Todos los días se enfrentan a una miseria incalculable, angustia e incluso tortura; la mayoría de los estadounidenses ni siquiera pueden comenzar a imaginar cómo es su vida.

Queridos hermanos, no crean que es extraño el fuego ardiente de pruebas que les ha sobrevenido, como si algo extraor*dina*rio les estuviera pasando. Más bien, como comparten el compañerismo de los sufrimientos del Mesías, regocíjense, para que se regocijen todavía más cuando su Gloria sea revelada. Si están siendo insultados porque llevan El Nombre del Mesías, ¡cuán benditos son ustedes! ¡Porque el Espíritu de la Gloria, esto es, el Espíritu de Di-s, está reposando sobre ustedes!

(1 PEDRO 4:12-14)

Vive un estilo de vida de autodisciplina. No pierdas ni un solo momento. No gaste horas en dispositivos electrónicos. La mayor pérdida de tiempo son las redes sociales —un agujero negro que se traga incluso al más disciplinado de nosotros. El ex vicepresidente de Facebook se lamentó de que las redes sociales están desgarrando el tejido social. "Los ciclos de retroalimentación impulsados por la dopamina a corto plazo que hemos creado [incluidos los corazones, los "me gusta" y los pulgares hacia arriba de varios canales de redes sociales] están destruyendo la forma en que funciona la sociedad". Agregó: "[No hay] discurso civil, ni cooperación; [solo] desinformación, falsedad "(Chamath Palihapitiya in a talk to the Stanford Graduate School of Business).

Sea en cambio un George Whitefield que una vez dijo: "¿Qué derecho tengo, para robar y abusar del tiempo de mi Maestro?" Olvidado en gran medida, Whitefield (1714-1770) fue el evangelista más famoso del siglo dieciocho. Llamado la "maravilla" de su edad, pronunció cerca de 30,000 sermones y predicó a multitudes de más de 20,000 en servicios que a menudo se extendían hasta la noche. Era un orador brillante que probablemente, en el curso de su vida, predicó a casi diez millones de personas y sin ningún tipo de amplificación. Cada noche antes de acostarse, Whitefield evaluaba su conducta contra una lista de quince criterios, incluyendo, "¿He sido frecuente en la oración? ¿He sido manso, alegre y afable en todo lo que dije o hice?

Este ejercicio diario ayudó a transformar su vida y lo convirtió en uno de los mejores predicadores que jamás haya existido. El impulso y celo que poseía son incomprensibles para los estándares de hoy en día. Tan motivado estaba para ganar almas, lo cual hizo por miles, que declaró: "¡Señor, dame almas o toma mi alma!". Era un sacerdote del Reino que utilizaba un arma no tan secreta: disciplina y autocontrol. Estaba motivado por un amor a Dios que lo inspiró a ser productivo, a desear la excelencia y a estar dispuesto a servir. Whitefield honró a su Rey en todas las cosas. Como el portador de la imagen de Di-s, fue un jardinero modelo que trabajó incansablemente en el campo, para rescatar al mundo de la esclavitud y la muerte, y que esperó pacientemente el día en que...

Entonces *Adonaí* será Rey, sobre toda la tierra
En aquel día *Adonaí* será el único y Su
Nombre será el único Nombre.

(ZACARÍAS 14:9)

BIBLIOGRAFÍA

Nota: Todas las fuentes utilizadas por la autora, están disponibles solo en inglés.

Alexander, T. Desmond (2008) From Eden to the New Jerusalem, Grand Rapids: Kregel.

Anderson, Bernhard W. (1957) Understanding the Old Testament, Englewood Cliffs, NJ: Prentice-Hall.

_____ (2005) Creation versus Chaos, Eugene, OR: WIPF & Stock.

Apocrypha and Pseudepigrapha of the Old Testament (2004), 2 vols, ed., R.H. Charles, Berkeley: Apocryphile Press.

Babylonian Talmud (1935-52), 35 vols, London: Soncino Press.

Barker, M. (2000) The Revelation of Jesus Christ, Edinburgh: T & T Clark.

_____ (2008) The Gate of Heaven: The History and Symbolism of the Temple in Jerusalem, Sheffield, England: Phoenix Press.

_____ (2011) Temple Mysticism: An Introduction, London: SPCK.

_____ (2014) King of the Jews: Temple Theology in John's Gospel, London: SPCK.

Beale, G.K. (2004) The Temple and the Church's Mission: A Biblical Theology of the Dwelling Place of God, Downers Grove, IL: Inter Varsity Press.

_____ (2005) Eden, the Temple and the Church's Mission in the New Creation, JETS 48/1 March, pp. 5-31.

_____ (2008) We Become What We Worship: A Biblical Theology of Idolatry, Downers Grove, IL: Inter Varsity Press.

Beale, G.K. & Mitchell, K. (2014) God Dwells Among Us: Expanding Eden to the Ends of the Earth, Downers Grove, IL: Inter Varsity Press.

Benner, J. A. (2005) The Ancient Hebrew Lexicon of the Bible, College Station, TX: Virtualbookworm.com publishing.

Bereishis (1986) 2 vols, Brooklyn: Mesorah.

Berman, J. (1995) The Temple: Its Symbolism and Meaning Then and Now, Eugene, OR: WIPF & Stock.

Brown, William P. (2010) The Seven Pillars of Creation, NY: Oxford University Press.

Buber, Martin (1947) Tales of the Hasidim, 2 vols., NY: Schocken Books.

Carpenter, Eugene (2009) Deuteronomy, (Zondervan Illustrated Bible Background Commentary), ed. John Walton, Grand Rapids: Zondervan.

Clines, David J.A. (1974) The Tree of Knowledge and the Law of *Yahweh* (Psalm 19), Vetus Testamentum 24, pp. 8-14.

Commentary on the New Testament Use of the Old Testament (2007) eds. G.K. Beale & D.A. Carson, Grand Rapids: Baker Books.

Creation in the Old Testament (1984) ed., Bernhard W. Anderson, Eugene, OR: WIPF & Stock.

Cultural Backgrounds Study Bible (2016) Grand Rapids: Zondervan.

De Vaux, R. (1973) Ancient Israel: Its Life and Institutions, London: Darton, Longman & Todd.

Dolansky, Shawna (2017) How the Serpent Became Satan: Adam, Eve, and the Serpent in the Garden of Eden, BAS 10/13.

Dye, Dinah (2016) The Temple Revealed in Creation: A Portrait of the Family, Foundations in Torah.

_____ (2012) The Fig Tree DVD, Foundations in Torah.

_____ (2014) Service of the Heart DVD, Foundations in Torah.

Edersheim, A. (1994) The Temple: Its Ministry and Services, Peabody, MA: Hendrickson.

Exile: A conversation with N.T. Wright (2017) ed. James M. Scott, Downers Grove, IL: IVP Academic.

Falk, H. (2002) Jesus the Pharisee, Eugene, OR: WIPF & Stock.

Feliu, Lluis (2003) The God Dagan in Bronze Age Syria, Brill Publishing.

Fretheim, Terence E. (1991) Interpretation: Exodus, Louisville, KT: WJK.

_____ (2005) God and World in the Old Testament: A Relational Theology of Creation, Nashville, TN: Abingdon Press.

Galenieks, Eriks (2005) The Nature, Function, and Purpose of the Term

She'ol in the Torah, Prophets and Writings (PhD. Diss., Andrews University Seventh-Day Adventist Theological Seminary).

George, Arthur & George, Elena (2014) The Mythology of Eden, Lanham, MD:

Hamilton Bks.

George Whitefield: Life, Context, and Legacy (2016) ed. Geordan Hammond, David Ceri Jones, Oxford University Press; 1 edition July 19.

Ginzberg, L. (1909-38) Legends of the Jews, 7 vols.

Good, Joseph (2015) Measure the Pattern Volume 1: A Study of the Structures Surrounding the Inner Courtyard of the Temple, Nederland, TX: Hatikva.

Hahn, Scott W. (2009) Kinship by Covenant, New Haven, CT: Yale University Press.

Haynes, Gregory (2009) Tree of Life, Mythical Archetype: Revelations from the Symbols of Ancient Troy, San Francisco: Symbolon Press.

Hareuveni, Nogah (1980) Nature in our Biblical Heritage, Israel: Neot Kedumim.

_____ (1984) Tree and Shrub in Our Biblical Heritage, Israel: Neot Kedumim.

Heaven on Earth (2004) ed. Desmond T. Alexander & Simon Gathercole, G-d's Image, His Cosmic Temple, and the High Priest: Towards an Historical and Theological Account of the Incarnation, Crispin H.T. Fletcher-Louis, Waynesboro, GA: Paternoster.

Hurowitz, V. (1992) I Have Built You an Exalted House: Temple Building in the Bible in Light of the Mesopotamian and Northwest Semitic Writings, Sheffield, England: Academic Press.

Instone-Brewer, D. (2004) Traditions of Rabbis from the Era of the New Testament: Prayer and Agriculture, Grand Rapids: William B. Eerdmans.

Israel, Yosef (1997) Colorful Ceremonies in the Beis Hamikdash, Brooklyn: Torah Umesorah Publications.

Interlinear Chumash (2008) 5 vols, Artscroll Series, Brooklyn: Mesorah.

Jastrow, Marcus (1950) A Dictionary of the Targumim, the Talmud Babli and *Yerush*almi and the Midrasnhic Literature, NY: Pardes.

Kline, M. (1999) Images of the Spirit, Eugene, OR: WIPF & Stock.

Kitov, E. (1997) The Book of Our Heritage: The Jewish Year and its Days of Significance, 3 vols., Jerusalem: Feldheim.

Levenson, J. D. (1985) Sinai and Zion: An Entry into the Jewish Bible, New York: Harper & Row.

Lightfoot, J.B. (reprinted 1977) Saint Paul's Epistles to the Colossians and to Philemon, Grand Rapids: Zondervan.

Lundquist, John M. (2008) The Temple of Jerusalem: Past, Present, and Future, Westport, CT: Praeger.

_____ (2002) Fundamentals of Temple Ideology from Eastern Traditions, Reason, Revelation, and Faith: Essays in Honor of Truman G. Madsen, ed. Donald W. Parry, Daniel C. Peterson, and Stephen D. Ricks, Provo, UT: FARMS.

Matthews, Victor H. (2002) A Brief History of Ancient Israel, Louisville, KT: WJK Press.

Malina, Bruce J. (2001) The New Testament World: Insights from Cultural Anthropology, Louisville, KT: WJK Press.

Meyers, Carol L. (2003) The Tabernacle, Menorah: A Synthetic Study of a Symbol from the Biblical Cult, Piscataway, NJ: Gorgias Press.

Mishnah (reprinted 1989) trans. H. Danby, Oxford: Oxford University Press.

Mishnah Seder Mo'ed Vol. 2 (1984), trans. P. Kehati, Israel: Maor Wallach Press.

Morales, L. Michael (2015) Who Shall Ascend the Mountain of the Lord? Downers Grove, IL: Inter Varsity Press.

Mowinckle, Sigmund (2004) The Psalms in Israel's Worship, Grand Rapids: William B. Eerdmans.

Notley, R. Steven & Safrai, Ze'ev (2011) Parables of the Sages: Jewish Wisdom from Jesus to Rav Ashi, Jerusalem: Carta.

Rosenquist, Tyler Dawn (2015) King Kingdom Citizen, Ancient Bridge Publishing.

_____ (2017) Social Media Musings Vol. 2 Dec. 13.

Parpola, Simo (1993) The Assyrian Tree of Life: Tracing the Origins of Jewish Monotheism and Greek Philosophy, JNES 52 no. 3, University of Chicago.

Patai, R. (1947) Man and Temple in Jewish Myth and Ritual, NY: KTAV Publishing.

_____ (1979) The Messiah Texts, Detroit: Wayne State University Press.

Patai, R. & Graves, R. (1964) Hebrew Myths, NYC: Doubleday.

Pederson, Johs (1940) Israel: Its Life and Culture, 4 vols, London: Oxford University Press.

Petersen, Allen R. (1998) The Royal God, England: Sheffield.

Schachter, Lifsa (2013) The Garden of Eden as God's First Sanctuary, Jewish Bible Quarterly Vol. 41, No.2.

Skarsaune, Oskar (2002) In the Shadow of the Temple, Downers Grove, IL: IVP Academic.

Stager, Lawrence, E. (2000) Jerusalem as Eden, BAR May-June.

Temple in Antiquity (1984) ed., T. G. Madsen, Salt Lake City, UT: Bookcraft.

The Complete Artscroll Siddur (1985), Brooklyn: Mesorah.

The Cosmic Mountain: Eden and Its Early Interpreters in Syriac Christianity (1988). Genesis 1-3 in the History of Exegesis: Intrigue in the Garden, ed. Gregory Allen Robbins, 187-224. Lewiston, NY: Edwin Mellen Press.

The Old Testament Pseudipigrapha (1983-85), ed., J. H. Charlesworth, 2 vols,

Garden City, NY: Doubleday.

The Works of Josephus (2000), trans. W. Whiston, Peabody, MA: Hendrickson.

The Works of Philo (1993), trans. C.D. Yonge, Peabody, MA: Hendrickson.

Thiele, Edwin R. (1983) The Mysterious Numbers of the Hebrew Kings, Grand Rapids: Kregel.

Tosefta (2002), 2 vols, trans. J. Neusner, Peabody, MA: Hendrickson.

Trumball, H. C. (1975) The Blood Covenant, Kirkwood, MO: Impact Books.

_____ (2000) The Threshold Covenant, Kirkwood, MO: Impact Books.

Ulansey, D. (1991) The Heavenly Veil Torn: Mark's Cosmic Inclusion, Journal of Biblical Literature, Spring Vol. 110, no. 1.

Vermes, Geza (1981) Jesus the Jew, Philadelphia: Fortress.

_____ (1997) The Complete Dead Sea Scrolls in English, London: Penguin.

Walton, J. H. (2006) Ancient Near East Thought and the Old Testament, Grand Rapids: Baker Books.

_____ (2009) Genesis, Grand Rapids: Zondervan.

_____ (2009) The Lost World of Genesis One: Ancient Cosmology and the Origins Debate, Downers Grove, IL: Inter Varsity Press.

_____ (2015) The Lost World of Adam and Eve, Downers Grove, IL: Inter Varsity Press.

Weinfeld, M. (1981) Sabbath, Temple and the Enthronement of the Lord – The Problem of the Sitz im Leben of Genesis 1:1-2:3.

Wenham J. Gordon (1985) Sanctuary Symbolism in the Garden of Eden Story, World Congress of Jewish Studies 9A 19-25.

White, Ryan (2017) New Creation DVD, Rooted in Torah.

Widengren, G. (1951) The King and the Tree of Life in Ancient Near East Religion, Uppsala: Lundequist.

Wright, Christopher J.H. (2006) The Mission of God: Unlocking the Bible's Grand Narrative, Downers Grove, IL: Inter Varsity Press.

Wright, N.T. (2012) How God Became King, NY: Harper Collins.

_____ (2016) The Day the Revolution Began: Considering the Meaning of Jesus's Crucifixion, NY: Harper Collins.

Yarden, L. (1971) The Tree of Light: A Study of the Menorah, London: Horovitz Publishing Co.

Yechezkel (1977), Brooklyn: Mesorah.

Zevit, Ziony (2013) What Really Happened in the Garden of Eden, New Haven, CT: Yale University Press.

GLOSARIO

Acharei Mot - Después de la muerte, parte de la Torá:
   Levítico 16
Acharit haYamim - fin de los días, el futuro
Adam - sangre de Dios
Adamah - rojo, tierra, suelo
Adonaí - Señor, sustituto de YHVH
Adonai Tzv'aot - Señor de los Ejércitos
Aharon - Aarón
Ahd - testimonio
Ahzar - ayuda
Akeidah - la atadura de *Isaac*
Akeldama - campo de sangre en arameo
AMO - Antiguo Medio Oriente
Ana Beko'ach - Te lo suplicamos
Aravot - séptimo cielo, sauces, valle en el Néguev
Argamon - púrpura
Aron - Arca
Asherah - árbol, diosa madre
Ashrei - digno de elogio, honorable
Avram - Abram
Avraham - Abraham, padre de muchos
Axis Mundi - árbol del mundo, centro mundial
Azarah - atrio, patio

Baal - maestro, deidad cananea
Bakah - para dividir
Bamot - lugares altos
Banah - construir
Bar - grano

Barah - para crear
Barah Shtei - creó dos
Basar - piel, carne, evangelio, buenas noticias
Bat - hija
Bat Kol - hija de la voz
Batsheva - hija de siete, Betsabé
Bat Tziyon - hija de Zión
Bavel - Babilonia, Caldea
Beersheva - pozo de siete o juramento, ciudad en el Néguev
Beit Avtinas - casa de Avtinas, productores de incienso
Beit HaParvah - casa del curtido de pieles
Beit - casa
Beit haMikdash - Casa del Santuario
Beit HaMoked - casa del hogar, dormitorio de los sacerdotes
Beit Rosh - la casa es la cabeza
Ben - hijo
Ben Adam - hijo del hombre
Ben Elohim - hijo de Di-s
Benai - hijos, plural de hijo
Beresheet - al principio, Génesis
Binah - comprensión
Brachah - bendición
Brit - pacto, cortar o hacer un pacto
Brit Hadashá - pacto renovado, nuevo pacto, Nuevo
   Testamento
Brit Esh - Pacto de fuego
Brit Milah - Pacto de corte, circuncisión
BT - Talmud de Babilonia

Chavah - Eva, madre de los seres vivientes
Chachmah - sabiduría
Jag HaMatzah - Fiesta de Panes Sin Levadura
Charan - ciudad en el norte de Mesopotamia
Cheruv - querubín
Cheruvim - dos figuras angelicales encima del Arca del Pacto

Chilazon - caracol
Chokmah - sabiduría
Chol HaMoed - días intermedios para los festivales de Pascua
    y *Sukkot*
Choshen - pectoral
Cohen - sacerdote
Cohanim - plural para sacerdotes

Da'at - conocimiento
Dam - sangre
Debir - Santo de Santos, Lugar Santísimo
Devar - hablar
Devorah - abeja, comunidad
Din - juez

Echad - uno
Edut - decretos, testimonio
Ehd - niebla
Eish - man
Eshah - mujer
Eishet Chayil - Mujer de Valor, Proverbios 31
El Elyon - Di-s Altísimo
Elisheva - mi Dios es siete, Elizabeth
Elohim - nombre de Dios, plural de El
Eretz - tierra, suelo, terreno
Etz - árbol
Etzim - árboles, huesos
Etz Chaim - Árbol de Vida
Etz *Shemen* - árbol de aceite
Erusin - segunda etapa del matrimonio
Esh - fuego
Even Shettiyah - piedra fundamental, piedra de beber
Ezrat Kohanim - Atrio de los Sacerdotes
Ezrat Nashim - Atrio de las Mujeres
Ezrat Israel - Atrio de Israel

Gadol - grande
Gan - jardín
Gan Eden - Jardín en Edén
Gat Shemen - prensa de vino
Genizah - lugar de entierro
Gihon - vientre, chorro, útero, manantial en Jerusalén
Goren - trillador
Goyim - naciones

Haftará - pasajes de los profetas leídos después de la Torá
HaKodesh - el Lugar Santo
Hakhel - reuniendo
Har - montaña
HaShem - el nombre utilizado como sustituto del nombre de
   Di-s en la conversación
Hekal - santuario
Hineni - Aquí estoy
Hoshanna rabbah - gran salvación
Hoshen - pectoral del sumo sacerdote

Ya'acov - Jacob

Y'itzchak - Isaac

Kadosh - santo, apartado, separado
Kaf - palma, pala para el incienso
Kal - completo
Kallah - novia
Kapporet - cubierta
Kedoshim - santos, mediadores
Kedushah - santificada, dedicada, consagrada, apartada
   (también puede ser una ramera)
Ketanah - pequeño
Kidushin - etapa de matrimonio esponsales
Ketonet - túnica de manga larga

Ketoret - incienso
Kodesh - santo
Kodesh haKodeshim - Santo de Santos, Lugar Santísimo
Kohanim - plural para sacerdotes
Kohen - sacerdotes
Kohen Gadol - Sumo Sacerdote
Kol - voz
Korban - ofrenda, sacrificio, acercarse
K'por - escarcha

Lashon Harah - lengua malvada
Levonah - incienso
Levon - blanco
Livyathan - Leviatán
Luchot HaEven - Tabletas de Piedra

Ma'aleh Ashan - humo levantando con hierbas
Ma'amad - de pie
Ma'aseh Merkavah - obras del carruaje
Malkat Sheva - Reina de Sabá
Malkut - reino
Malkut Shemayim - Reino del Cielo, Reino de Di-s
Mashal - parábola, proverbio, dominio, regencia
Maschiach - mesías
Matzá - pan sin levadura
Mayim - agua
Mayim hayim - agua viva
Melech - rey
Menorah - candelabro de siete brazos
Menorot - plural para candelabro
Midrash - interpretación
Mikvah - baño de inmersión
Minchah - servicio de oración por la tarde, dadiva, ofrenda de
    grano/comida
Miriam - María

Mikdash - Santidad
Mikvah - baño de inmersión
Mishkan - Tabernáculo
Mishmar - curso, división
Mislei - Proverbios
Mitzvot - mandamientos
Mizbeach - altar
Mizrak : vasija utilizada para transportar la sangre
Moshe - Moisés

Nach - huelga, golpe
Nasi - príncipe, jefe del Sanedrín
Ner Ma'ariv - luz del oeste, lámpara en la *menorá*
Netzer - corona
Niddah - separar, eliminar del campamento
Noach - Noé, trae consuelo
Nun - Letra hebrea, semilla continua

Ohel Eduth - Tienda de Testimonio
Ohel Moed - Tienda de Reunión
Olah - elevación u ofrenda elevada
Olam Haba - eternidad, el mundo por venir
Olam Hazeh - éste mundo, mundo físico
Omer - porción, cebada
Or - luz
Oren - pino
Orlah - prohibido, no circuncidado
Ornán - Arauna el Jebuseo

Palhedrin - una cámara en el Templo
Parokhet - cortina, velo
Pargod - una cortina/velo de la lengua persa
Pelusium - término egipcio para prendas blancas de lino fino
Pesaj - Pascua

Rach - seguir un camino prescrito

Rachaf - flotar, moverse y aletear como un pájaro

Rachav - orgulloso, Rahab

Racham - misericordia

Rakiah - firmamento, extensión

Rav Sha'ul - Rabino Pablo

Resh - Letra hebrea, primero, cabeza

Reisheet - primero, cabeza, comienzo

Rosh - cabeza

Rosh Jodesh - Luna nueva, cabeza del mes

Rosh Hashaná - Año nuevo, cabeza del año

Ruach - espíritu

Ruach Elohim - Espíritu de Dios

Ruach HaKodesh - Espíritu Santo

Serafín - quemar

Shacharit - Servicio de oración por la mañana y por la mañana

Shalach – enviar, enviado

Shabat – Shabbat, séptimo, día de reposo

Shalach - para enviar

Shalom - paz

Shavua - semana

Shavuot - Fiesta de las Semanas, Pentecostés

Shechita - matanza ritual

Shekan - para habitar

Shekinah - presencia divina o permanente

Shem - nombre

Shem HaMeforash - nombre inefable

Sema - escucha, Escucha, Israel — primeras palabras de la
	oración que proclama la unidad de Di-s

Shemayim - cielos

Shemot - Éxodo

Sheva - siete, juramento

Sheish - lino, seis

Shiloach - grupo de enviados

Shitin - ejes
Shlomo - Salomón
Shlosha - tres
Shliach - el enviado, apóstol
Sh'mittah - séptimo año de liberación de la tierra
Shnayim - dos
Shofar - trompeta de cuerno de carnero
Shtei haLechem - dos panes
Shulcan - mesa
Sidur - Libro de oraciones hebreas
Simcha Beit haShoevah - Regocijo en la Casa de
    Libación de Agua
Sukkah - cabina, refugio temporal
Sukkot - Fiesta de Tabernáculos

Tahor - puro
Talmadim - discípulos, estudiantes
Tamai - impuro, contaminado
Tamid - diario, continuo
Tanakh - Antiguo Testamento
Targum - paráfrasis aramea de la Biblia hebrea
Techelet - colorante azul de chilazón, un molusco de mar
Tehillim - Salmos
Tehom - las aguas de las profundidades, el abismo
Terach - El padre de *Abraham*
Teruah - explosión/sonido estruendoso del *shofar*
Teshuvá - arrepentimiento
Tevillah - inmersión
Tikun Olam - restaurando el universo
Tisha B'av - noveno día del quinto mes Av
Tishri - séptimo mes en el calendario hebreo, por lo general
    entre Septiembre/Octubre
Tolat Sheni - colorante rojo carmesí de un gusano
Toldot - generación, historia, cuenta, para tener hijos
Tov - bueno

Tov Ma'od - muy bueno

Tora - instrucción, ley, primeros cinco libros de la Biblia

Tsel - sombra, imagen

Tzaddik - justo

Tzitzit - flecos anudados de manera especial y unidos a una prenda de cuatro esquinas

Tziyon - Zión

Tzemach - brote, retoño

Ulam - pórtico en el Templo

Yahweh - nombre hebreo de Di-s

Yalad - traer o tener hijos

Yam - mar

Yamim - días

Yehoshua - Josué

YHVH - nombre impronunciable de Di-s, Tetragramatón hebreo

Yireach - luna

Yom - día

Yom haKippurim - Día de Expiaciones

Yom Echad - Un día o día uno

Yom Teruah - Día de la explosión del *Shofar*

Yeshua - Jesús

Yocheved - Gloria de Yah

Yovel - Jubileo, liberación

Zekan - anciano

Zerah - semilla

Zevach - sacrificio

Z'kharyah - Zacarías

Zur - dispersos o distanciados

El Templo Revelado en el
Arca de Noé (Vol. 3)

El Templo Revelado en el Arca de Noé retoma donde quedó la historia de Adán y Eva. Pasamos del lenguaje de la agricultura, al jardín, al lenguaje de la arquitectura. Noé construyó una casa/templo flotante según el modelo de la Casa Cósmica de Di-s que encontramos en Génesis Uno. El décimo hombre desde Adán, Noé se le dio la tarea de preservar la línea real de los reyes del diluvio destructivo para proporcionar un lugar para la presencia de Di-s en la tierra. El lector descubrirá cómo Noé funcionó como sumo sacerdote y rey y cómo, como rey, hizo retroceder a los enemigos de Di-s para traer descanso a la nueva tierra. Descubra las respuestas a algunas de las preguntas más desconcertantes de la Biblia sobre los días de Noé en este próximo emocionante volumen de la Serie El Templo Revelado.

SOBRE LA AUTORA

La Dra. Dinah Dye creció en Ottawa, Canadá, en un hogar judío conservador. Asistió a la escuela hebrea, celebró las festividades con su familia y disfrutó de los veranos en un campamento de verano judío ortodoxo. Dinah pasó su adolescencia y sus primeros veinte años profundamente involucrada en el movimiento de la Nueva Era. Durante esos años, llegó a la creencia de que la verdad se basaría en tres cosas: sería fácil de entender, sería para todos, y se basaría en el amor. Ella se encontró con esa verdad en 1979 en *Yeshúa* (Jesús) el Mesías.

Dinah inmediatamente reconoció la importancia de conectar los Evangelios y las Epístolas a su fundamento apropiado en la Torá (los primeros cinco libros de la Biblia). Ese entendimiento eventualmente condujo a la creación de su ministerio *Foundations in Torah*. La Dra. Dye tiene un DMIN en Estudios hebraicos en el cristianismo y ha estado descubriendo conexiones hebreas durante casi 40 años. Las enseñanzas de Dinah están disponibles en formatos de audio y video desde su sitio web. Ella da conferencias regularmente y en congregaciones locales a lo largo de los Estados Unidos e internacionalmente.

La verdadera pasión de Dinah es ayudar a estudiantes en la investigación de la Biblia y comprender la naturaleza hebrea de las Escrituras del Nuevo Testamento. Gran parte de la investigación de la Dra. Dye gira alrededor del Templo. Ella sugiere que el Templo es el marco para toda la Biblia y tiene una clave importante para traer la unidad de una comunidad fracturada.

Dinah y su esposo, Michael, viven fuera de Albuquerque, NM y pasan su tiempo libre con sus nietos.

Foundations in Torah
www.FoundationsInTorah.com
drdianadye@gmail.com
PO Box 46182
Rio Rancho, NM 87174